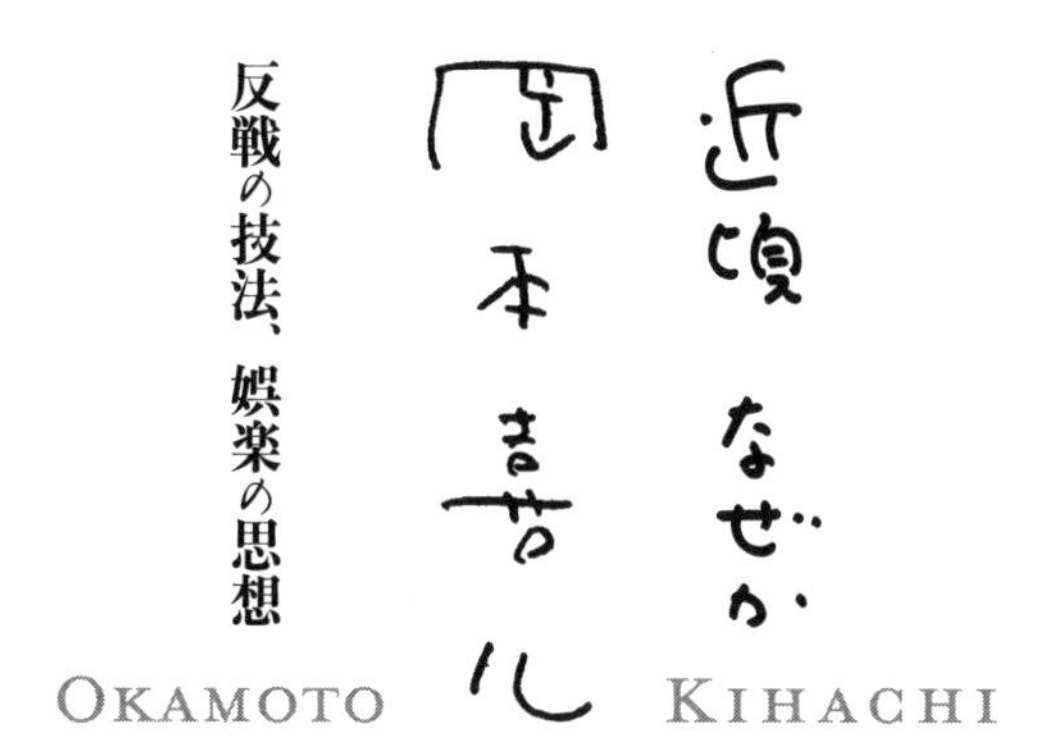

近頃なぜか岡本喜八

反戦の技法、娯楽の思想

山本昭宏 編

はじめに

山本昭宏

岡本喜八が気になって

なぜいま、岡本喜八なのか。

そもそも、岡本喜八（一九二四〜二〇〇五年）の映画を観たことがあるという人は、現代日本では決して多くはないのかもしれない。岡本喜八は、黒澤明や小津安二郎に比べると、言及される機会は少ないし、テレビの再放送の機会も少ない。書店の映画関係の棚で、岡本喜八の名前を見るのは稀である。しかし、岡本喜八を知らない人でも、実は間接的に岡本喜八に触れている、という可能性は大いにある。

たとえば、原田眞人監督の『日本のいちばん長い日』（松竹、二〇一五年）が「豪華キャスト」で公開されたことは記憶に新しい。ポツダム宣言受諾を決めて玉音放送を流すまでの過程を緻密に描いた大作映画だ。ただし、よく知られるように原田版はいわばリメイクであり、もともとは、岡本喜八監督による『日本のいちばん長い日』（東宝、一九六七年）があった。日本の戦争映画のなかでもビックタイトルのひとつである。

あるいは、庵野秀明監督の『シン・ゴジラ』（東宝、二〇一六年）を挙げることもできる。この作品を観た人は、みな岡本喜八に出会っている。映画のなかで、ゴジラの謎を握る「牧悟郎博士」は失踪中だが、観客は牧博士の顔写真を見ることになる。その顔写真の人物は、岡本喜八その人である。こうした直接的な出会いとは別に、『シン・ゴジラ』の演出も、岡本喜八流だ。庵野秀明監督は、岡本喜八の映画を熱心に研究することで、自身のアニメーションを作り上げた。庵野秀明の演出が観る者に与える心地よさは、岡本喜八に多くを負っている。その意味では、エヴァンゲリオンのファンたちは、岡本喜八の「孫」に当ると言っていいだろう。

ふたつの例を挙げたが、現代日本文化の底に流れるいくつかの河のひとつとして岡本喜八を挙げたとしても、さほど大袈裟な評価だとは思えない。しかしながら、黒澤や小津などの「巨匠」や、大島渚や吉田喜重らの思想的・前衛的な映画と比べたとき、岡本喜八に対する評論や研究は、決して多いとは言えないのである。

もっとも、本書のなかで言及するように、山根貞男や長部日出雄ら評論家による優れた岡本喜八論は存在するし、関係者の証言など貴重な資料が収録されたデータブック（『Kihachi フォービートのアルチザン――岡本喜八全作品集』東宝出版事業室、一九九二年）もあれば、書誌研究とでも言うべき寺島正芳編『岡本喜八全仕事データ事典』（二〇一四年）や、映画化が実現しなかったシナリオを集めた『岡本喜八お流れシナリオ集』（龜鳴屋、二〇一二年）もある。さらに、小林淳『岡本喜八の全映画』（アルファベータブックス、二〇一五年）のように、岡本作品を網羅して論じた著作が上梓されたことで、再評価はいっそう進むと思われる。

そうだとしても、なぜいま、岡本喜八なのか。

現代文化の源流という以外にも、岡本に注目したい理由がある。それは、戦中派の再評価に関わっている。戦中派とは、大正末期から昭和初期に生まれ、思春期から青年期にアジア・太平洋戦争を経験した世代を指す。二〇二〇年代の現代日本において、戦中派が、政治状況、論壇状況、文化状況に直接関わることはほとんどなくなった。思想信条を問わず、戦争体験に裏打ちされた思想や行動の存在感が薄れて久しい。それは、ときに韜晦や屈折を含んではいたが、戦争への批判を生み出す豊かな源泉だった。岡本喜八の場合は、末端の兵士や民衆を擁護し、戦争指導者たちを批判し続けながらも、人を惹きつける戦場の危険な魅力を描いた。

戦中派として

岡本喜八が描いた戦中派の心情については、本書の各章で検討していくが、ひとつの例を挙げてみたい。『にっぽん三銃士――博多帯しめ一本どっこの巻』（一九七三年）という作品がある。製品化されていないためか、ほとんど言及されない岡本作品のひとつである。元陸軍中尉の主人公を、小林桂樹が演じている。

映画の最終盤、事件が片付いて大団円という場面で、車の後部座席に座った主人公が突然歌い始める。「どこまで続く泥濘の」と始まるこの歌は、戦時歌謡・軍歌の「討匪行」である。

「討匪行」は、一九三三年にビクターから発売された流行歌だ。関東軍参謀部による作詞と表記されたが、実際に作詞を担当したのは八木沼丈夫である。八木沼は、日本軍が一九三二年に創設した宣撫班の班長を務めた人物だった。南満州鉄道に勤務していた八木沼は、満州や中国の風土を愛したことで知られる。抗日ゲリラの掃討作戦に従事する日本兵の姿を描いた「討匪行」の詩は、勇ましさとは無縁であり、前線の兵士に寄り添うような歌詞を特徴とする。

作曲者は声楽家の藤原義江で、レコード版の歌唱も彼が担当した。後拍に付点を置く独特のリズムを持つこの曲は広く愛唱された。しかし、太平洋戦争が始まると、敵の死体を手厚く葬るという歌詞が問題視され、歌唱が禁止されたという（矢沢寛『戦争と流行歌』社会思想社、一九九五年、六四〜六五頁）。

さて、映画に戻ろう。主人公が歌い始めた「討匪行」について、戦無世代の若い男女が反応する。まず女性が、「いかすじゃないそのブルース」と声をかけると、小林は「雨降りしぶく、鉄かぶと」と続きを歌う。すると今度は岡田裕介演じる男が「シンコペーションがあって面白い歌ですね、ジャズや黒人のブルースの特徴なんです」と声をかける。男女の反応を受けて、主人公が答える。「これは軍歌だ。ジャズなんかじゃない、悲しい悲しい兵隊の歌なんだ」。主人公は言葉では「ジャズなんかじゃない」と頑固に否定するが、車内の雰囲気は和やかだ。

この場面の演出には、戦時歌謡・軍歌とジャズをつなぐ戦無派青年たちの軽やかな感性と、それを表面的には拒もうとする戦中派の情感とが同居している。そして、両者はおそらく、岡本喜八自身のなかにも同居していたはずだ。こうした一場面にも、戦中派・岡本喜八の個性が顔を出している。岡本喜八のアンビバレントな戦争認識については、二〇二〇年に亡くなった大林宣彦が次のように評している。「喜八さんの中には映画人として二人の人格がいたのだともいえます。一人は『駅馬車』に純粋に憧れている岡本喜八。もう一人は自分のアイデンティティをしっかり映画で伝えようとしている岡本喜八です」(『最後の講義　完全版　大林宣彦』主婦の友社、二〇二〇年、一七七頁)。岡本喜八の資質を的確に指摘した評言だろう。

本書では、エンターテイメント性や戦中派世代の心情などに注目しながら、戦争という問題領域のなかに岡本喜八の映画を配置して、分析していく。たとえば、『独立愚連隊』(一九五九年)とそのシリーズでは、戦争責任論や軍隊への批判とはほとんど無縁のようにみえる痛快な戦争娯楽が話題となった。他方で、『肉弾』(一九六八年)では、戦中派である岡本自身の体験を反芻することで戦争と個人、戦争と死者の関係を問い直し、比類のない「戦争映画」を成功させた。さらに、『激動の昭和史　沖縄決戦』(一九七一年)では、エンターテイメントとしての戦争映画の撮り方を更新している。こうした作品を念頭に、アジア・太平洋戦争を描いた映画と岡本の体験とを考察していくことになるだろう。

もっとも、岡本の映画が注目した戦争は、アジア・太平洋戦争にとどまらない。岡本は、日本の軍隊の非合理的な権威主義の起源として、天皇をいただく明治新政府の存在を感じ取っていた。したがって、岡本は戊辰戦争にまで遡って、近代日本の戦争を問い直そうとしたとも理解できるのだ。

なお、本書の執筆者五名は、これまで、文化史や思想史、歴史社会学、メディア論に基づいて戦争と社会との関係を研究してきた。したがって、映画研究として岡本喜八を論じるわけではない。

戦後社会における戦中派の思想と行動や、岡本喜八が好んだアウトサイダー表象の思想史的意義、群衆の描かれ方、カットの切り替わりへのこだわりに代表される編集術などが論点になるだろう。

本書の構成

本書の構成は以下の通りである。

第一章の山本昭宏「映画監督・岡本喜八の誕生——「カッコイイ戦争」のインパクトとその背景」は、岡本喜八の初期作品に焦点を絞っている。岡本喜八の監督昇任までの来歴を辿ったうえで、「新人監督」だった岡本が、監督としての個性を磨こうと試みていた初期作品を分析する。とりわけ、岡本自身が脚本を手がけた『独立愚連隊』シリーズに注目し、一九六〇年前後の日本社会において「戦争」と「映画」との関係がいかに理解されていたのか、その理解はどのように変わりつつあったのか、を論じている。

第二章は、福間良明による論考「「フマジメ」な抗い——喜劇へのこだわりと「正しさ」への違和感」である。福間は、『日本のいちばん長い日』『肉弾』『血と砂』を取り上げて、戦中派・岡本喜八の思想を浮き彫りにしている。戦争を語る際、戦中ならば「皇国」が、戦後であれば「反戦」が、「正しい」語り方だった。そうした規範をどこまでも相対化していこうとする精神の運動を、福間は岡本喜八の作品に読み込んでいる。

　第三章、佐藤彰宣「余計者にとっての「明治」と「民衆」——時代劇から問う近代日本」は、岡本の時代劇を「戦争映画」として読み直す試みである。『赤毛』（一九六九年）や『吶喊』（一九七五年）など戊辰戦争を背景にした作品のなかで、岡本は「民衆のエネルギー」を再発見することになるが、同時代の観客はそこに七〇年安保や過去の六〇年安保の「戦い」を感じ取った。ここには、送り手と受け手が映画を通して民衆史的な問題意識を練り上げていくという思想の営みがある。

　第四章の野上元「誰とともに何と戦う?——「内戦」を描く岡本喜八」は、「内戦」という視点から、岡本喜八のフィルモグラフィーを読み替える試みである。内戦という「戦い」の様態は、時として全体の見通しが立たず、敵と味方の配置が入れ替わってしまう。そうした内戦を、岡本は好んで描いてきた。野上の指摘はそこから一歩進んで、岡本の編集術にも「内戦的」とでも言うべき要素を見いだしている。詳しくは第四章を確認してほしい。

　第五章の塚田修一は、「キハチの遺伝子——喜八映画の影響関係と戦争体験」と題して、岡本喜八の思想と技術が、いかに庵野秀明に受け継がれたのかを論じている。アニメーション監督として出発した庵野秀明が、岡本喜八の映画を観ることで映画を学んだというのは、よく知られている。では、その影響の内実はどのようなものであり、「キハチの遺伝子」はどのように発展しているのか。現代的な関心が強い読者には、まずは第五章から読んでいただきたい。

終章の山本昭宏「青い血とコロナウイルス──軍事とメディアによるスペクタクル」は、一九七〇年代以降の個人と国家の関係性を問い直す契機として『ブルークリスマス』を論じる。「戦争」の手段というよりも「統治」の手段として「軍事」が導入される様相を、新型コロナウイルスと関連づけながら考察している。

本書はたんに回顧的に岡本喜八の作品を鑑賞するものではない。彼の作品を公開当時の時代に置き直し、その表象と主題、さらには観客たちの受容を分析することで、戦後社会の多様な側面を浮き彫りにすることを目的としている。戦争体験をめぐる思想史・文化史や、戦争映画の表象システム、さらにはそれを受け止める社会の動態を、岡本喜八に基づいて理解したい。

毎年、夏になれば儀式のように戦争に関する報道が増え、エンターテイメント作品が発表される。しかしながら「あの悲劇を繰り返してはならない」という「答え」が強すぎて、私たちは戦争とそれが生んだ多様な生き方そのものに直面する機会は少ない。最短距離で「答え」に到達するのが悪いわけではないが、「答え」に至る過程のほうに工夫を凝らすのが、岡本喜八の「反戦の技法」であり「娯楽の思想」だった。

今こそ、やはり、岡本喜八なのではないか。

目次

フィルモグラフィー
Okamoto Kihachi Filmography

タイトル	公開年	脚本家	製作
『結婚のすべて』	1958	白坂依志夫	東宝
『若い娘たち』	1958	井手俊郎	東宝
『暗黒街の顔役』	1959	西亀元貞・関沢新一	東宝
『ある日わたしは』	1959	岡田達門・井手俊郎	東宝
『独立愚連隊』	1959	岡本喜八	東宝
『暗黒街の対決』	1960	関沢新一	東宝
『大学の山賊たち』	1960	岡本喜八・関沢新一	東宝
『独立愚連隊西へ』	1960	関沢新一・岡本喜八	東宝
『暗黒街の弾痕』	1961	関沢新一	東宝
『顔役暁に死す』	1961	池田一朗・小川英	東宝
『地獄の饗宴』	1961	脚本家なし 脚色：池田一朗・小川英	東京映画
『どぶ鼠作戦』	1962	岡本喜八	東宝
『月給泥棒』	1962	松木ひろし	東宝

『戦国野郎』　1963　佐野健・岡本喜八・関沢新一　東宝

『江分利満氏の優雅な生活』　1963　井手俊郎　東宝

『ああ爆弾』　1964　岡本喜八　東宝

『侍』　1965　橋本忍　東宝・三船プロダクション

『血と砂』　1965　佐治乾・岡本喜八　東宝・三船プロダクション

『大菩薩峠』　1966　橋本忍　東宝・宝塚映画

『殺人狂時代』　1967　小川英・山崎忠昭・岡本喜八　東宝

『日本のいちばん長い日』　1967　橋本忍　東宝

『斬る』　1968　岡本喜八・村尾昭　東宝

『肉弾』　1968　岡本喜八　「肉弾」をつくる会・ATG

『赤毛』　1969　岡本喜八・広沢栄　三船プロダクション

『座頭市と用心棒』　1970　岡本喜八・吉田哲郎　勝プロダクション

『激動の昭和史 沖縄決戦』　1971　新藤兼人　東宝

『にっぽん三銃士 おさらば東京の巻』　1972　岡本喜八・長野洋　東京映画

『にっぽん三銃士 博多帯しめ一本どっこの巻』　1973　岡本喜八・長野洋　東京映画

『青葉繁れる』　1974　小林俊一・岡本喜八　東宝映画

『吶喊』 1975 岡本喜八 喜八プロダクション・ATG
『姿三四郎』 1977 隆巴・岡本喜八 東宝映画
『ダイナマイトどんどん』 1978 井手雅人・古田求 大映映画
『ブルークリスマス』 1978 倉本聰 東宝映画
『英霊たちの応援歌 最後の早慶戦』 1979 山田信夫・岡本喜八 東京12チャンネル
『近頃なぜかチャールストン』 1981 岡本喜八・利重剛 喜八プロダクション・ATG
『ジャズ大名』 1986 岡本喜八・石堂淑朗 大映
『大誘拐 RAINBOW KIDS』 1991 岡本喜八 「大誘拐」製作委員会
『EAST MEETS WEST』 1995 岡本喜八 Feature Film Enterprise III・喜八プロダクション・松竹
『助太刀屋助六』 2002 岡本喜八 日活・フジテレビ

YAMAMOTO Akihiro

山本昭宏

〈取り上げる作品〉
『結婚のすべて』『若い娘たち』
『暗黒街の顔役』『独立愚連隊』
『独立愚連隊西へ』『どぶ鼠作戦』

第1章

映画監督・岡本喜八の誕生

「カッコイイ戦争」のインパクトとその背景

「死にたくない奴はみんな死んだ。生きてても仕様がない俺だけが、まだ生きてる。人生はうまくいかんな」

「うまくいかんな」

「しかし俺はもう日本には帰れんし、敵につかまるのもゴメンだ。なあ、このままここいらにほっぽっといてくれないか」

「じゃあ馬賊はどうかね」


（『独立愚連隊』一九五九年）

はじめに

岡本喜八の映画を語る際に、必ずと言っていいほど言及される要素がある。短いカットの接続から来る演出のテンポ、音楽の使い方へのこだわり、戦中派の心情に基づく厭戦・反戦意識、さらにはアウトサイダーへの共感、群衆への注目などだ。これらが岡本の個性であることは衆目の一致するところだろう。では、これらの要素は、いつごろからどのようにして、岡本の映画のなかに定着したのだろうか。

第一章では、岡本喜八の来歴を整理したうえで「初期作品」に焦点を絞り、映画監督「岡本喜八」が誕生する経緯を辿ることを目的にしている。ここで言う「初期作品」とは、『結婚のすべて』(一九五八年)から、『どぶ鼠作戦』(一九六三年)までの一二作品を指す。この時期の岡本は、五年で一二本を撮っており、彼のフィルモグラフィーのなかでも最も多作な時期だった。

これらを「初期作品」とする理由は、以下の二点である。第一の理由としては、岡本自身のコメントを挙げることができる。岡本は『どぶ鼠作戦』について「転機になる作品だと思います。「結婚のすべて」から足ぶみしていたような気もする。「どぶ鼠作戦」をもう一ぺんやり直すべきじゃないか、小粒で丹念に撮れるものとしてやり直したい」と述べているからである。[1]

第二の理由としては、冒頭に挙げたテンポや戦中派の心情、アウトサイダーへの共感、群衆への注目などの諸要素が、『どぶ鼠作戦』で完成を見たと考えられるからである。なぜそう言えるのかは、本章でも触れるが、ここでは二例を挙げておこう。『どぶ鼠作戦』では、加害意識の主体化から軍隊を離脱して「愚連隊」の一員になる若い参謀の姿が描かれるとともに、日本人と中国人が祭の群衆の中で盛りあがる様態が描かれている。前者の「軍の権威の相対化」は『独立愚連隊』

1―岡本喜八「自作を語る」(『キネマ旬報』通巻三二三号、一九六二年秋の特別号)六五頁。

図1　『赤毛』ええじゃないか踊り　© TOHO CO., LTD.

（一九五九年）に萌芽が見られるものの、『どぶ鼠作戦』でより端的に表現されるようになり、以降の岡本作品を規定する最も重要な要素となる。他方で、後者の「群衆への注目」は、幕末維新期に題材をとった『赤毛』（一九六九年）の終盤での「ええじゃないか踊り」や『ジャズ大名』（一九八六年）のジャムセッションのように、岡本映画のクライマックスにおいて既存の秩序を撹拌する重要な契機として繰り返されることになる（図1）。

以上を考慮しながら、「初期作品」の検討を通して、映画監督・岡本喜八の誕生の過程を明らかにし、彼が描いた「カッコイイ戦争」の内実を考察したい。

1　監督昇任までの来歴

島根から東京へ

まずは、岡本喜八の来歴を整理しておこう。岡本喜八の回想記『鈍行列車キハ60』（佼成出版社、一九八七年）やエッセイ集『ヘソの曲がり角』（東京スポーツ新聞社、一九七七年）などの記述を参照しながら、監督昇任までの足跡を辿りたい。

岡本喜八（岡本喜八郎）は、一九二四年（大正一三）二月一七日、鳥取県米子市に生れた。岡本家の代々の生業は大工だった。六代目にあたる祖父は宮大工の棟梁だったが、父親はなぜか駅弁の折箱を作る仕事をしていたという。母親は、喜八が小学三年の頃に亡くなった。また、四歳年上の姉がひとりいたが、中学入学直後に亡くしている。

鳥取の恵まれた自然は、喜八少年にとって絶好の遊び場だった。春・夏・秋は山登り、冬はスキーに没頭して幼少期を過ごした。特にスキーを愛好し、東京に出てからも趣味として続け、のちに雪山でのロケに活かされる。初めての映画体験は、四歳か五歳のころに祖父に連れられて行ったチャンバラ映画で、殺陣が始まって俳優がカメラをにらむと、喜八少年は泣き出してしまったという。岡本喜八の演出には、俳優がカメラに向ってアクションをする場面が多いが、そうした演出は初めての映画体験に起因しているのではないかと、岡本は述べている。[2]

喜八少年はマンガが好きで、『少年倶楽部』にマンガを投稿し続ける少年でもあった。マンガの趣味は、絵コンテやイラストなどの仕事につながったと言えるだろう。小学生の頃の夢は、マンガ家のほか、馬賊、タイヤキ屋、私立探偵、忍術使い、鉱石ラジオ組立工、登山家、空手の達人などで、多様と言うほかないが、あえて整理すればインドアの趣味とアウトドアの趣味とでバランスが

2―岡本喜八『ヘソの曲がり角』(東京スポーツ新聞社、一九七七年)一〇〜一一頁。

とれている。両者ともに、大きな組織に属するのではなく、職人気質で比較的自由な仕事であり、のちの監督作に表れる彼の個性の萌芽を、米子での幼少期に見いだすことができる。

その後は、鳥取県立米子商蚕学校商業科を経て、一九四一年に明治大学専門部商科に進学する。専門部とは学部の名称ではなく、大学の付属機関を指す。東京に出た岡本は、新宿の名画座で映画を浴びるように観たという。ジョン・フォードの『駅馬車』を通して西部劇の魅力を知り、ルネ・クレールの『巴里祭』に感銘を受けたのもこの頃だった。次第に、映画を観るだけでは満足できなくなり、映画の作り手になりたいという希望を持つようになっていた。

一九四三年の春には、秋の卒業を控えて、就職活動を始めた。大学や専門学校の在学年限が短縮されたため、三年目の秋には大学を卒業することになっていたからだ。職を探していた岡本は、大学の学生課の前に貼られた求人ビラに足を止める。そこには、「東宝株式会社・事務員・三名募集」と書かれていた。迷わず受験した。

事務員とはいえ、三人の募集に三六人が応募する狭き門だったが、思わぬ幸運に恵まれる。面接試験官の総務部長が、岡本喜八と同郷の米子出身であり、さらに喜八の祖父と知り合いであることが面接の席上で判明したのである。それが関係したのかどうか、岡本は採用通知を受けとることになる。さらに幸運は続いた。事務員で採用されたが、総務部長に助監督になりたいと言うと、実際に助監督に決まってしまったのである。岡本は「戦争中のドサクサマギレに助監督になれた、としか思えない」と回想している。[3]

岡本喜八は一九四三年一〇月一日から東宝社員となったが、そのタイミングは戦争と深い関わりを持っていた。翌二日には学生の徴兵猶予が停止され、一〇月二一日には明治神宮外苑競技場で「出陣学徒壮行会」が開催されているからだ。

岡本の初仕事は、成瀬巳喜男監督『芝居道』の第四助監督だった。駆け出しの助監督として働き始めた岡本だったが、東宝での仕事は徴用令によってわずか三カ月で中断する。徴用された岡本は、一九四四年の一月からは、中島飛行機武蔵野製作所で働くことになった。四四年六月には、徴兵検査を受けて「第一乙種合格」となる。その後、海軍予備学生を受験するが、不合格。陸軍特別甲種幹部候補生に応募すると、今度は採用された。そして、幹部候補生として、一九四五年一月一〇日に松戸工兵学校に入隊するのである。

3—岡本喜八『鈍行列車キハ60』(佼成出版社、一九八七年)八三頁。

さて、これまで主に『鈍行列車キハ60』の記述にもとづいて、岡本の来歴を整理してきた。『鈍行列車キハ60』では、一九四五年一月の松戸兵学校入隊以後、敗戦までの約八カ月間が、漢字と片仮名のみで表記されており、その期間が岡本の人生のなかで、異様なものとして浮かび上がる仕掛けになっている。

その部分を引用したい。一九四五年四月二九日（天長節）に、豊橋予備士官学校で遭遇した空襲について、岡本は以下のように記述している。爆弾がすぐそばに落ちて吹き飛ばされた直後の場面だ。

硝煙ガ消エ、オノレヲ取リ戻シテ起キ上ガレバ、タダモウ泥絵具ノ地獄図絵ノ惨状、殆ドガ即死ニ近カッタガ、目ノ前ニ、片手片足ヲ吹ッ飛バサレテモナオ「畜生ッBノ奴、Bノ奴！」ト、ハミ出シタハラワタヲ押シ込マントスル戦友アリ、「岡本候補生、岡本ッ！」ノ声ニ振リ返ルト、頸動脈ヲ切ラレ、血ノ雨ヲ噴出サセナガラ「止メテクレェ！」ト悲痛ニ叫ブ、大アグラヲカイタ戦友ガイタ。

ヤガテ、ハラワタヲ押シ込ンデイタ戦友モ、私ガ首筋ヲ押サエツケテイタ戦友モ、死ンダ。

同ジ区隊カラ先遣隊ニデテイタ生存者、僅カニ三名。マコト生死ハ紙一重。シカシ、死神ガ見エテ来タ。[4]

岡本はこの出来事を何度も振り返っているが、そのことからも彼にとって「痛烈ナ体験」だったことがわかる。[5] こうした体験のなかから、岡本はある認識に至る。それは、重苦しく不快な日常を乗り切るための、岡本なりの工夫だった。

当時の私は、自分の寿命を「うまく行って二三、下手すれば二一」と、大掴みで踏んでいたのだが、刻々と近づく死への恐怖をマジメに考えると、日一日とやりきれなくなって行く。それが高じて、もし発狂でもしたらみっともない。そんなある日、はたと思いついたのが、自分を取りまくあらゆる状況を、コトゴトく喜劇的に見るクセをつけちまおう、ということであった。[6]

4―同上、一二四～一二五頁。
5―岡本喜八『ななめがね』(文化服装学院出版局、一九六九年)九頁。

「喜劇としての戦争」とでも言うべきこの認識は『独立愚連隊』シリーズ以降、『江分利満氏の優雅な生活』（一九六三年）や『肉弾』（一九六八年）に活かされることになるだろう。

助監督時代から監督昇任へ

戦争が終わり、郷里の米子に戻った岡本は、町内の幼友達が、ひとりも戦争から帰って来ていないことに気づいた。商蚕学校の同級生も、半分以上が戦死していた。こうした経験から、「自分はもっとも多く戦死した世代の一員だ」という認識が岡本のなかに根を張ることになる。

東宝に復職してからは、長い助監督時代が再開した。岡本が助監督についたのは、衣笠貞之助監督の『或る夜の殿様』（一九四六年）だったが、その頃にはすでに東宝争議も始まりつつあった。一九四六年三月には一五日間におよぶ第一次ストライキが起こり、同年一〇月には五〇日間の第二次ストライキがあった。以後、一九四八年八月までの二年間にわたって、東宝争議は続いた。

その間、岡本は助監督としてのキャリアを積み、一九五三年には、チーフの助監督としてマキノ雅弘の「マキノ組」について、『次郎長三国志』シリーズの撮影に参加するようになった。以後、約二年間、岡本は「マキノ組」でチーフの助監督を務めることになる。「マキノ組」はチーフの助監督の権限が大きく、衣装調べ、小道具合わせ、ロケハン、録音などが、チーフ助監督の担当だった。さらに、マキノ雅弘が口述する内容を、脚本に落とし込むという仕事もあり、時にはマキノに代わって撮影を担当することもあったという。「マキノ組」のチーフ助監督の経験から、岡本はふたつの習慣を身に着けた。ひとつは、日常的にカット割りを意識するという習慣。もうひとつは、書き続けるという習慣である。

当時の岡本はどのような脚本修行をしていたのだろうか。助監督時代の岡本が関わった同人誌『シナリオ　アンデパンダン』（第一号、一九五四年六月一五日）が残っている。この同人誌は、東宝の助監督たちが腕を磨いた媒体として知られる。第一号には、のちに脚本家となる秋山正や、当時は黒澤明の助監督でのちに監督となる丸林久信とともに、岡本喜八の名前がある。三人は当時、助監督の仲間だった。岡本が寄稿した作品は「聖バッカスの昇天」。シナリオと小説の中間のような「オリジナル・ストーリー」という形態である。物語の梗概を確認しておこう。

主人公は「哲」という青年である。ボクサーだったが、傷害事件で前科が付き、出所後はホーム

6—岡本喜八「戦争映画と私」（『NOMAプレスサービス』一九八〇年九月五日号）。引用は『マジメとフマジメの間』（ちくま文庫、二〇一一年）一二～一三頁。

レスとして暮らしている。ある夜、哲は、酒場で知り合ったひとりの酔客から一万円を託される。好きに使っても良いが、返す気があるならば働いて一万円を稼いで教会に寄付してくれ、という不思議な依頼を受けるのだ。この酔客は、実は偽札作りに関わる詐欺師であり、一万円は偽札である。彼は酔いにまかせた悪ふざけとして、哲に一万円を渡したのだ。酔客は、翌朝には逮捕されたのだが、哲はそれを知らない。さて、一万円を使い切った哲は、酔客に言われた教会を見物にいく。そして、そこで天使のような少女と出会う。哲はこの少女のために、真面目に働いて一万円を寄付しようと決心する。これを機に、まっとうな生活をしようとするのだ。酒だけは止められなかったが、それでも肉体労働や廃品回収で貯金は増え始める。同時に、哲は自分の体の変調に気がついていた。ようやく貯金が一万円に達したのは一二月二四日。しかし、すでに哲の体はボロボロだ。教会にたどり着いて、少女に一万円を渡そうとしたところで、彼は息絶える。物語の最後は、警官が哲の死体を調べに来る場面だ。警官が、アル中の過労死だと片付けるその横を、酒場で哲に一万円を渡した男が通り過ぎる。ちょうど出所したのだ。もちろん、男は自分が悪ふざけで渡した偽札の一万円がどんな顛末を生んだのか、知るよしもない――。

一九五四年に岡本喜八が書いていたのは、岡本らしい遊び心と皮肉のなかに、一方的な純愛と死のカタルシスという大衆的要素を混ぜ合わせた物語だった。のちの岡本の作劇術の萌芽を見てとることができるだろう（図2・3）。

マキノ組のあとは、谷口千吉作品『裸足の青春』のチーフ助監督などを担当しながら監督への熱意と野心を温めていた岡本だが、三〇歳を越え、自分は監督になれるのかという焦りも感じ始めていた。そこに、思わぬチャンスが訪れる。一九五七年の年末のことだった。

契機となったのは、東宝執行部による石原慎太郎の監督抜擢である。よく知られるように、石原慎太郎は一九五五年に『太陽の季節』で芥川賞を受賞すると、同作がベストセラーになって社会現象を巻き起こした。これにより、当時の社会は「不良少年・少女」たちを指して「太陽族」と呼ぶようにもなった。また、『太陽の季節』が一九五六年に日活・古川卓巳監督により映画化される

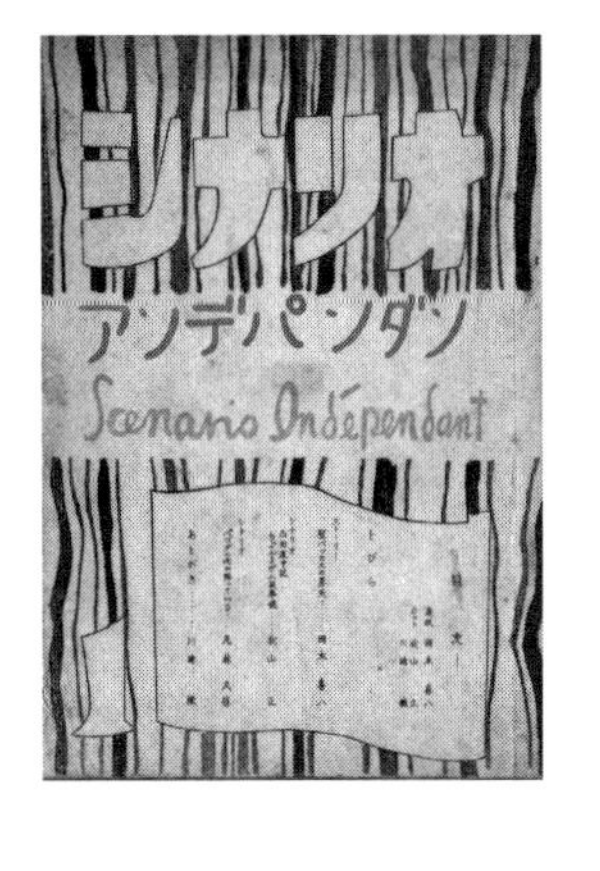

図2　『シナリオ　アンデパンダン』第1号（1954年6月15日）　提供：喜八プロダクション

図3　岡本喜八「聖バッカスの昇天」　提供：喜八プロダクション

と、映画界にも「太陽族映画」のブームが巻き起った。一九五六年のあいだに、日活は中平康監督『狂った果実』と蔵原惟繕監督『俺は待ってるぜ』を、東宝は堀川弘通監督の『日蝕の夏』を、大映は市川崑監督の『処刑の部屋』を送り出した。また、松竹の木下惠介監督は、『太陽とバラ』で太陽族を批判してみせた。このように石原慎太郎の登場に端を発するブームのなかで、石原自身は新時代を体現する若者の代表格と目され、映画俳優として『危険な英雄』(東宝、一九五七年、監督・鈴木英夫)に主演するなど、「スター」のひとりになったのである。

こうした活躍を受けて、東宝は石原を抜擢し、石原自身が原作・脚色・監督を担当する『若い獣』(東宝、一九五八年)を発表した。そもそも石原は、芥川賞を受賞する前の一九五五年一〇月に、東宝の助監督試験を受けて合格し、社員になっていた。しかし、直後に芥川賞を受賞したために忙しくなり、東宝に出社したのはわずか一日だけだったという。[7] つまり、入社試験に合格した「社員」の石原を監督に起用するという東宝の判断は、異例であるとはいえ、それなりに理にかなっていたのである。

しかし、石原の監督起用は、話題作りとしては妙案だったが、長い下積みを続けてきた助監督たちが黙っていなかった。四七人の助監督たちが、石原を監督に選んだ首脳部に反発する。

助監督たちの反発を知った東宝の首脳部は、次のような対応に出る。チーフ・クラスの助監督たち十数名にシナリオを提出させ、そのなかから出来の良いシナリオを書いた助監督を新たな監督として抜擢するというのである。このコンペに、岡本喜八は『独立愚連隊』と『ああ爆弾』の脚本を提出した。結局、それが認められて監督昇任が決まる。約一五年間におよんだ助監督生活がようやく終わったのである。

脚本が認められた岡本だったが、監督になってからの数本は、会社から与えられた脚本を演出している。第二節では、岡本の監督デビュー作『結婚のすべて』と、自作の脚本を映画化した『独立愚連隊』に焦点を絞る。

2 日本のヌーベルヴァーグと、『独立愚連隊』

白坂依志夫との好相性

監督昇進が決まった岡本に与えられた脚本は、白坂依志夫が手がけた『結婚のすべて』（一九五八

7―佐野眞一『てっぺん野郎――本人も知らなかった石原慎太郎』（講談社、二〇〇三年）二六七頁。

年）だった。白坂は一九三二年生まれで、脚本家の八住利雄を父親に持つ。当時はまだ二〇代の新人だったが、すでに『巨人と玩具』（大映、一九五八年、監督・増村保造）や『完全な遊戯』（日活、一九五八年、監督・舛田利雄）などの話題作を担当しており、新しい感覚を持つ脚本家として注目されていた。戦後文学的とでも呼ぶべき硬質な言葉が頻出する会話の書き方が白坂の持ち味だった。

『結婚のすべて』の軸は、ある姉妹の結婚観・恋愛観の対立である。妹（雪村いずみ）は、劇団の研究生で、現代的な女性として造形されている。姉（新珠美千代）はというと、見合いで結婚し、夫を立てるという典型的な主婦である。最初、妹は姉の結婚生活を軽蔑している。しかし、妹のボーイフレンドは、情事をスポーツのように楽しんで「結婚は中年になってからでいい」と述べる。妹はこの現代的なボーイフレンドに幻滅し、姉の価値観に理想を見いだすようになる。他方で、姉は雑誌の編集長に誘惑されるが、最後には自分の軽率を後悔して夫のもとに戻る。他方、見合いを否定していた妹は、映画の最後では見合いも悪くないと思い直し、父親が進めた見合いを承諾する。こうして、旧態依然とした結婚観・恋愛観に戻るかと思いきや、妹は見合いのスタイルを自分流に変えてしまう。両家の面会の場を待たずに、自ら見合い相手を訪問し、結婚や恋愛について議論をし始めるのである。こうして、新旧の価値観が融合した若いふたりを映して、映画は終わる。

ロカビリーや直截な性的会話など、当時の最先端の風俗を取り込んだ脚本は、若手の白坂にしてみれば容易だっただろう。一九五八年は、ロカビリー・ブームが起こった年だった。二月に開催された日劇ウエスタン・カーニバルを皮切りに、平尾昌晃、山下敬二郎、ミッキー・カーチスの三人が「ロカビリー三人男」としてスターダムにのし上がっていた。こうした同時代の風俗を、白坂と岡本は巧みに映画に取り入れている。

白坂の才能とそれを見事に映像化した岡本の演出は、『結婚のすべて』の冒頭の場面からして明らかである。小気味良く観客を裏切る冒頭の場面を、白坂は次のように書いている。

夏、らしい。

岩かげで、水着の男女が接吻している。

声「刺戟的な場面です。残念ですが、これから皆様にお観せする映画には、こんな露骨な場面はひとつもありません」

男、女の顔から顔をはなすと、ホッと大きなため息をつく。女、急にけたたましく笑うと男の体に武者ぶりついて、又——接吻。

声「題名は忘れましたが、これは、この映画ではないある凡庸な映画の一シーンです。全くこういう場面を売りものにした映画が多すぎます。困ったことです」

——接吻をつづけている男女。[8]

ナレーターに「ある凡庸な映画」と言わせる白坂が念頭に置いていたのは、いわゆる太陽族映画である。前述したように白坂は『完全な遊戯』の脚本も書いている。自身が関わった映画界の潮流さえも、鮮やかに相対化する白坂の才気を示している。

白坂の脚本について簡単に確認したが、岡本喜八の演出はどうだろうか。『結婚のすべて』を論じた映画評論家の山根貞男は、『結婚のすべて』の演出にみられる「速いテンポと強烈なリズム」を指して、「戦後的な新感覚」と呼んでいる。テンポとリズムとは、「カットがすべて短く、いわゆるカット尻はゼロに等しくて、台詞が極端に多く、登場人物はそれを早口で機関銃のようにしゃべる」ことを指す。[9]

岡本自身は、『結婚のすべて』の演出にある程度は満足していたようで「この作品と「独立愚連隊」が、やはり自分で一番好きな写真ですね」と回想している。[10]実際、この作品が認められた岡本は、一九五八年度のＮＨＫ映画賞新人監督賞を受賞した。しかし、白坂は岡本の演出について「喜八さんはマキノ雅弘さんみたいな人じゃないですか。つまり絵はがきですね。非常に美しい絵をみせてくれるけれど、それだけじゃないですか」と冷淡だった。[11]もっとも、この時点で岡本は自身の作家性の一端のみを発揮していたに過ぎず、白坂が「絵はがき」とだけ評価したのも無理はなかったのかもしれない。

白坂と岡本という新しい才能が出会って誕生した『結婚のすべて』だが、そもそも一九五〇年代末の日本映画界が新人監督を輩出していたことも確認しておきたい。よく知られるように、一九五〇年代末から六〇年代初頭は日本映画の最盛期だった。観客数は一九五八年に一一億人強という最高人数を記録。映画の製作本数は一九六〇年に五四七本で最高を記録していた。量産体制の各社が、新人監督の起用を進めるのは当然だった。そして、新人監督は、会社から与えられた企画の枠内であれば、ある程度自由に自らの個性を入れ込むことが可能だった。こうして、鈴木清順、

8―「追悼特集――白坂依志夫の人とシナリオ　結婚のすべて」（『シナリオ』二〇一五年四月号）六六頁。
9―「雑草と映画的リズムの行方」（『kihachi――フォービートのアルチザン』（東宝株式会社出版事業室、一九九二年）一三頁。
10―岡本喜八「自作を語る」（『キネマ旬報』通巻三三三号、一九六二年秋の特別号）六二頁。
11―白坂依志夫、岡田晋「「シナリオ」と「現代」」（『キネマ旬報』一九六〇年一二月上旬号）六七頁。

今村昌平、増村保造、大島渚、吉田喜重、篠田正浩、深作欣二など、六〇年代以降の映画界を牽引していく監督たちが、五〇年代末から六〇年代初頭にそろって監督としてのキャリアをスタートし、才能を開花させていくのである。岡本喜八も、そのなかのひとりだった。

メロドラマとギャングで目指した「映画の流れ」

その後、岡本は、『青い山脈』の脚本家として知られる井出俊郎が脚色した『若い娘たち』（東宝、一九五八年）を撮った。原作は石坂洋次郎の小説である。東宝は一九五一年に千葉泰樹監督で『若い娘たち』を映画化し、興行的に大成功した経験があった。それをリメイクすれば、ある程度の集客を見込めるだろうという判断があった。五一年版の『若い娘たち』を観た岡本は、あまりにウエットな演出に時代の断絶を感じ取り、ドライで現代的なコメディを目指した。

岡本の演出では、雪村いずみが親の意向に沿って結婚相手を決めることを拒む「主体的」な女性を演じており、その点で『結婚のすべて』に似ている。しかし、井出俊郎の脚本は、岡本が独自の演出を展開するには穏やかすぎたのか、脚本を手堅く映画にしたという印象が残る作品になった。もっとも、岡本らしい撮り方の工夫は随所にみられる。股のあいだから奥の人物を撮るという西部劇的なカメラアングルや、本筋とは直接関係のない学園祭の場面でミッキー・カーチスに歌わせる場面、そして終盤のキスシーンでの音楽の使い方などに、岡本の個性が光っている。

続く監督作『暗黒街の顔役』（東宝、一九五九年）は、西亀元貞と関沢新一の脚本で、まだ岡本は自分の脚本を映画にできていないが、岡本がようやく本格的な活劇に挑戦した作品として重要である。一九五九年一月一五日公開という正月興行であり、興行成績も良かったため、その後も、岡本は『暗黒街の対決』（東宝、一九六〇年）、『暗黒街の弾痕』（東宝、一九六一年）と「暗黒街モノ」を手がけることになる。

なお、『暗黒街の対決』は、キネマ旬報ベスト・テンの採点表で、双葉十三郎によって八点と高得点がついた。双葉はその理由を「表現の切れ味というものを信奉するぼくのデモンストレーションであると同時に、面白い娯楽映画を尊重しろ、という意味」を込めたと述べた。[12] 双葉はアメリカ映画に精通した映画評論家だったが、その双葉が『暗黒街の対決』を高く評価し、他の選者たちがほとんど無視したという事実は、当時の新人監督・岡本喜八の位置をよく示しているように思われる。岡木の位置は、フランス経由で新たな表現を模索した他の若手監督たちとは異なっていた。岡本は、日本人がギャングを真面目に演じること自体を茶化すような、滑稽な演出を仕掛けて

12―「私の選んだ順位」（『キネマ旬報』一九六一年二月上旬号）四二頁。

いる。たとえば、片手で相手を持ち上げて猛烈な勢いでピンタする三船敏郎の動きや、西部劇の引用、ミュージカルめいたロカビリーの場面などがそれにあたる。岡本は照れながら、しかし真面目に、アメリカの娯楽映画の文法を日本流に「翻訳」しようとしていた。

年代順のフィルモグラフィーに戻ると、岡本の第四作目は、再び石坂洋次郎の原作を映画化した『ある日わたしは』（東宝、一九五九年）である。メロドラマをうまく撮っているが、脚本が間延びしており、成功作とは言いがたい。いずれにせよ、『結婚のすべて』から『ある日わたしは』まで、岡本は会社の要求に応え続けたと言えるだろう。新人監督としては当然の修行期間であり、岡本もこれを絶好の腕試しの期間だと捉えていた。

では、監督デビュー直後のこの時期、岡本はどのような演出を目指していたのだろうか。それは「ドラマと絵が、観客の感覚を通じて、心の中につくり出す流れ」である。岡本が目指す「流れ」は、次のように説明される。

いま、日本映画にいちばん必要なことは、だいたんな省略ではないだろうか。どうも日本映画には無駄が多い。なぜ無駄が多いかと云うと、不必要な雰囲気や情緒が、あちらこちらにありすぎるからだ。こうした無駄がないと、芸術的に見えぬものなのか。とんでもない。ぼくは

――どんどん無駄をはぶいて、映画の流れをつくる。[13]

山根貞男が読みとった「戦後的な新感覚」を、岡本は意識的に模索していた。与えられた脚本でも、演出と編集によって「流れ」をつくることは可能だが、やはり自分で脚本を書くのに越したことはない。岡本が自らの脚本を映画化する機会を与えられたのは、『ある日わたしは』の次作、『独立愚連隊』(一九五九年)だった。この作品をはじめとする「愚連隊」シリーズについては、その先駆性を戦後映画史に位置づけた門間貴志による詳細な研究がある(門間貴志「岡本喜八と戦争映画――可変的アイデンティティ」『藝術学研究』第一八号、二〇〇八年三月)。以下では、門間の研究も参考にしながら、戦後日本における戦中派の戦争観という視点を付け加えて、論じていく。

『独立愚連隊』に対する批判

まずは、『独立愚連隊』の梗概を簡単に整理しておこう。「大東亜戦争」末期の中国北部、「独立愚連隊」と呼ばれる小哨隊が敵中に深く侵入していた。そこに従軍記者の荒木という男が現れる。

13―岡本喜八「映画の流れについて」(『キネマ旬報』一九五九年五月下旬号)四七頁。

彼は実は従軍記者ではなく、北京の病院を脱走してきた元軍曹であった。彼の目的は弟の死の真相を知ること。軍の不正をさぐりながら、記者として「独立愚連隊」に同行するうち、北京時代の恋人でいまは従軍慰安婦をしているトミとも再会する。弟を殺した中尉を突き止め、復讐を果したあと、「独立愚連隊」は敵の大群と対峙する。激闘のすえ荒木を残して敵味方ともに全滅。荒木は馬賊に助けられ、大陸の荒野に消える。

大陸を走る馬と砂ぼこり、馬やピストルなどの小道具の見せ方、無人の荒野から八路軍が湧き出るように出現する演出などは、あきらかに西部劇を意識したものだった。西部劇での「インディアン」が、愚連隊シリーズでは「八路軍」に対応している。そこに差別的な表象の力学が全く作用していないとは言えず、それゆえこの映画はのちの述べるような批判にさらされることになる。それは後述するとして、まずは製作者側の意図を確認しよう。

西部劇への偏愛は岡本喜八の作家的特質のひとつだが、プロデューサーの田中友幸もそれをよく理解していた。田中は、岡本が暗黒街シリーズを撮ってきたことを踏まえて、「ギャングものとまちがわれるところまで明るく健康的な西部劇です」と述べた[14]。監督もプロデューサーも、西部劇を意識した「カッコイイ戦争」を撮ろうとしたと、ひとまずは言えるだろう。

岡本が主役にあてようと考えていた俳優は、助監督時代から交友のあった仲代達矢だった。しかし、仲代は当時『人間の条件』の撮影中で軍隊機構に翻弄される梶を演じていたため、同じ時期に全く異なる兵士を演じるわけにはいかないということになり、主役は佐藤允に決まった。[15]

そもそも、戦後日本において、西部劇的な活劇を撮ろうとするとき、その舞台は主に次のふたつに限られていた。第一に、岡本が『暗黒街の顔役』（一九五九年）で試みたように、一応は日本だが、どこにも存在しない街を舞台にする方法であり岡本の『暗黒街の対決』がそれにあたる。代表格は日活の「無国籍アクション」だろう。そして、日本的活劇の第二の舞台は時代劇だった。こうした状況で、暗黒街でも時代劇でもなく、「北支戦線」を舞台に選んで活劇を撮ろうとすることはひとつの挑戦でもあった。さらに、「はみ出し者」たちの（主に男性たちの）連帯というモチーフは、以後の岡本喜八の映画で繰り返し変奏されるのであり、それを思えば「独立愚連隊」という映画は、そのタイトルも含めて、岡本の資質がもっとも端的に表れた作品だと評価しうるはずだ。

実際、キネマ旬報ベスト・テンでは一一位にランク・インし、それなりに高い評価を受けている。

14―「岡本監督　宿願の戦闘もの　明るく西部劇風に」（『読売新聞』夕刊、一九五九年七月一七日）。

15―春日太一『仲代達矢が語る日本映画黄金時代　完全版』（文藝春秋、二〇一七年）一二三〜一二四頁。

映倫審査員の荒田正男は、採点表で一〇点という最高評価を与えた。

「独立愚連隊」の第一位には相当の疑問を提出される方々のあることは既に承知いたしておりますが、私としては日本映画に絶えて久しくその影を見ることのできなかった闊達、壮快なる雰囲気を鮮やかに盛りあげ、一新清風を我が映画界にもたらした事実はあくまでも高く珍重しなければならないものと考えるからであります。[16]

荒田は、『独立愚連隊』の新しさを評価したいが、新しいがゆえに反発もあるだろうと予期している。こうした評言が示すように、当時の評論家たちを躊躇させるほど、岡本の演出は斬新だった。また、先に触れた双葉十三郎は、「最も面白い日本映画としてなら第一位の栄冠を与えるべきである」「日本映画に魅力を加えた監督として特別賞を進呈したいくらいである」と絶賛した。[17]評論家の波多野哲朗は、一九七九年に発表した論考のなかで、『独立愚連隊』を高く評価している。

誤解を恐れずに言えば、戦場という情景の概観が持つナンセンスぶりが、もっともよく映画的快楽に見合うとでも言おうか。それはあくまで戦場の外観であり、視覚に還元された戦場のことであって戦場そのものではないが、そのような場では、人間の身体を含むすべての事物が、それまでおおっていた意味のカバーを払いのけ、輝き躍動するのである。そうした事物の在りようは、無声映画時代のナンセンス劇におけるあの事物たちの輝きにも似ている。[18]

波多野は、「映画的快楽」を観客に感じさせる岡本の演出と編集が、見事に開花していると評価した。こうした評価は、現代ではもはや固まっていると言える。意外性に満ちたカットのつなぎ方によって、観客は戦場を多角的に見ることができる。観客は鳥の目で状況を理解しながら、虫の目で登場人物と同じ視界を共有し、作品に没入する。これは映画を鑑賞するという経験を根底で規定するものだ。戦場という舞台装置が、映画を観る喜びを最大化することを、岡本喜八はよく理解していた。

しかし、公開当初の『独立愚連隊』は「政治的」な評価にさらされた。問題になったのは映画の

16―「私の選んだ順位」(『キネマ旬報』一九六〇年二月上旬号) 三四頁。
17―同上、四二頁。
18―波多野哲朗「独立愚連隊」(『流動』一九七九年二月号) 六〇頁。

図4　『独立愚連隊』八路軍との戦闘シーン　© TOHO CO., LTD.

最後、独立愚連隊と八路軍（中国共産党の軍隊）の大部隊との戦闘シーンである（図4）。この戦闘では、主人公を除く全員が戦死してしまうのだが、当時の映画評論家たちはこの場面に注文をつけた。

映画評論家の荻昌弘は、岡本喜八の斬新な演出について「戦闘行為そのものをも〝冷笑〟で戯画化すること」が達成されていると指摘する。荻が言うように、人間や状況を「戯画化」することでリアリティをあえて欠落させた岡本の演出は、戦争がいかに無意味かを明らかにするものだ。その上で、荻は次のように述べる。

ここで性格が消されたのは、じつは登場人物ばかりではなかった。同時にこの作品は、日本の軍隊の性格をもけすことで、はじめて成立っているのである。日本と中国との戦争、その性格をも消すことで、はじめて成立っているのである。これも、それはそれでいい、といえることなのかどうか。それをいうのは、パロジィの場合、野暮なことなのかどうか。私は映画館を出て、それだけが胸につかえて、参った。[19]

19—荻昌弘「作品評」（『映画評論』一九五九年一一月）。

歴史性を捨象した戦闘表象に対する戸惑いを表明する萩は、この映画を受け止める日本社会に、いまだ生々しい戦争の記憶が残っていたことを念頭に置いているのだろう。一九五九年当時、日中戦争の生々しい記憶は、元将兵たちを中心に、社会に息づいていたと考えられる。萩昌弘が『独立愚連隊』を観終わって抱いた戸惑いも、そこに由来するものだった。

同じ点に注目し、より厳しい評価を下したのは、小説家の武田泰淳だった。武田は兵士として中国戦線で戦闘を経験しており、おそらくはその体験と照らし合わせて、中国兵が全滅する場面に強い違和感を抱いたのだろう。武田は次のように述べる。

いくら愚連隊の正義心を謳歌しても、中国兵をみな殺しにする理屈はなりたたない。第一、馬賊などというものをもちだすのはどうしたことだろうか。馬賊は水ぶくれのインテリのようで、これからさき、人相のわるい佐藤允をどこへつれてゆくつもりなのか。娯楽ものにしても、国際関係をとりあつかう以上は、もう少し『政治』を、まじめに考えてもらわなければ困るではないか。[20]

荻と武田の反応は、おそらくは当時の知識人たちにある程度共通するものだったと推測できる。戦後日本において、戦争を描いた映画は「反戦」的か否かを判定する視線につきまとわれてきた。戦争映画において中国や朝鮮半島での日本兵の姿をどのように描くかは、重要なポイントになる（それについては次節で確認する）。従来の日本映画界では、戦場を舞台にした映画といえばもっぱら「反戦映画」か「喜劇映画」であり、戦場を舞台にしてスタイリッシュに戦闘を描くという『独立愚連隊』の試みは、ほとんど存在していなかった。それゆえに、荻や武田のような批判があり得たのだった。

ただし、当時の評価をみれば、『独立愚連隊』を高く評価する論者も一定程度存在したことがわかる。先述の荒田と双葉以外の評価をみてみよう。演芸評論家として知られた戸井田道三は、従来の「戦争もの」が、「反戦か厭戦かそれでなければ戦争への郷愁」によって支えられていたのに対し、『独立愚連隊』は、「戦争をスポーツのようにしかとりあつかっていない」と述べた。そして、そこに従来の戦争映画を更新する可能性を見いだしている。

20―武田泰淳「映画合評　ひしめき合う喜びと悲しみ」（『毎日新聞』一九五九年一〇月二七日）。

もちろん「リアリズムくそくらえ」というでたらめさだが、そのでたらめさが、今まで戦争という現実の歴史にしばりつけられてちぢこまっていた戦争映画に爽快な新風を吹きこんでいるのを感じさせた。『私は貝になりたい』が一応戦争責任の問題をとりあげたまじめな映画でありながら、主人公を被害者としてしか描いていないことに、ひどくいやな後味があったのにくらべて『独立愚連隊』は完全に娯楽映画でありながら、戦争を無視し、それにうえ越す活力を感じさせる点で、何か大事なものを掘りおこしたのである。[21]

戸井田が指摘した「何か大事なもの」とは何だろうか。それはおそらく、戦争認識の類型を相対化するという試みなのだろう。反戦的な戦争認識の類型は、もちろん一九五九年当時の人びとの意識に支えられており、その意味で、類型は一種の「慎み」として機能していた。しかし、類型は「抑圧」としても機能する。「抑圧」を突き破り、戯画的であっても一応は軍隊の悪を描いて人と人とが殺し合うことの無意味さを提示した描写が、新しいと評価されるのは、ある意味では当然だろう。

小説家の丸谷才一も、同様の評価を下した。丸谷才一は一九六三年の論考で、戦争映画を見ない理由について、戦争映画の製作者たちの意図に対する違和感を吐露している。

彼らはただ刺戟の強い見世物を作ろうとあがいているだけだし、ときどきそういう商業的な自己の良心を慰めるために、戦争反対とか、平和の白い鳩とか、ノーモアヒロシマとかつぶやくだけなのだ。そして、僕が戦争映画を見ていちばん厭なのは、そういう彼らの「良心的」な顔つきなのかもしれない。

それならばいっそ、「良心的」でない戦争映画がいい。(中略)たとえばチャンドラーのような探偵小説を書くのが大変むずかしいように、あるいはそれ以上に岡本喜八の『独立愚連隊』のような映画を作るのは恐ろしいほどの才能を必要とすることなのである。[22]

21―戸井田道三「日本映画1959年・古いものと新しいもの」(『映画芸術』一九六〇年二月号)。

22―丸谷才一「なぜ戦争映画を見ないか」(『映画評論』一九六三年一〇号)三五頁。

さらに、同時期に注目されていた松竹の映画監督・篠田正浩も「「人間の条件」で訴えるものを、「独立愚連隊」のスタイルで訴えることができるという可能性を、とても感じた」として、『独立愚連隊』を評価している。[23]

3 愚連隊シリーズと日中戦争

『独立愚連隊西へ』

『独立愚連隊』に対する評価を目にした岡本喜八は、自分の意図が伝わらなかったと受け止めた。発表直後の一九六〇年の時点で次のように悔やんでいる。

> 戦争ハニンゲン・イコール・ムシケラニスル、ダカラ戦争ハイヤナンダ、と云うつもりが、俄然好戦的な大量殺人者メというハンコを押されて返ッて来てしまった。これでは全く逆だ。作者ノ力及バズどころの話ではない。〔中略〕色ンな声を聞き乍らもう一度ブッかろうと思い立ッた。[24]

岡本は他方で「僕が映画ファンだったら、テーマばかり正面に押し出す作品にはかえって反発を感じると思うんです。テーマの押し出し方のいい手は、見ている間は感じないで、見終わってはじめて解る——というのが正しいと思うんです」と自説を述べている。[25]批判を受けて反省点を洗い出しながら、試み自体は間違っていないはずだという思いも強めていた。

岡本は『独立愚連隊』への批判を踏まえたうえで、「もう一度ブッかろう」と、『独立愚連隊西へ』(東宝、一九六〇年)に取り組んだ。『独立愚連隊』では、弟の死の謎をめぐるミステリーが物語の推進力になっていたが、『独立愚連隊西へ』では、少尉とともに消えた軍旗の行方を、日本軍と八路軍が競って捜索するという筋書きだ。

今度の愚連隊員は、戦死公報が出た後に「ひょっこり帰ってきた」兵士たちの寄せ集めという設定。彼らが軍旗捜索を引き受けるが、その過程で、軍旗という権威のために人間が振り回される滑

23—岡本喜八、篠田正浩、南部僑一郎「愚連隊とオートバイ」(『映画芸術』一九六二年九月号)五七頁。
24—岡本喜八「軍旗ト云ウモノノ権威」(『シナリオ』一九六〇年一〇月号)一〇九頁。なお、引用文の片仮名は原文のままである。
25—岡本喜八「自作を語る」(『キネマ旬報』一九六〇年一二月上旬号)六三頁。

稽さと虚しさが表現される。

監督の岡本の個性は、映画の冒頭にしてすでに明らかである。冒頭、行進する兵士たちの姿に、次のような荘重な声が重なる。「歩兵第四六三連隊編成なるを告ぐ　よって今　その軍旗一旒を授く　汝軍人ら協力同心して　ますます威武を宣揚し　帝国を保護せよ」。すると、すぐさま恐懼感激した声が次のように答える。「謹んで明勅を奉ず　臣ら死力を尽くし　誓って国家を保護せん」。

これは、軍旗を授ける際の勅語と、軍旗を受け取る連隊長の奉答文である。岡本の演出が冴えるのはその直後である。勅語と奉答文の重々しい応酬を観客に聞かせた直後、一発の銃声とともに、「イーアルサンスー　イーアルサンスー　イーアルイーアル　ヤイヤイヤイヤイ　今度はどこだ　西か東か南か北か　どこへ行ってもハナツマミ」という愚連隊の歌が流れるのだ。そして、「独立愚連隊西へ」のタイトルが表示される。軍旗をめぐる勅語と奉答文を、中国語の数字で痛快に相対化する演出だと言える（なお、冒頭の歌は「独立愚連隊マーチ」としてレコード化されている。作詞は岡本喜八、作曲は佐藤勝である）。

『独立愚連隊西へ』は、八路軍との「友好」が前面に出ている点にも特徴がある。終盤フランキー堺演じる八路軍の将校と、日本軍との友情によって、決戦が回避されるという場面があるのだ。馬鹿馬鹿しい殺し合いを、喜劇的な「日中友好」によって無効化するという意図は、明らかに『独立愚連隊』への批判を意識した演出だった（図5）。

続く『どぶ鼠作戦』（一九六二年）は、八路軍に拉致された参謀を、日本軍の特務隊が奪還するという筋書きである。三作をみれば、「宝探し」という強固な物語を軸に、痛快なアクションとギャグとを矢継ぎ早に繰り出すという岡本喜八の作劇の特徴が明らかである。ここでいう「宝」は、第一作では弟の死の真相、第二作では軍旗、第三作では拉致された参謀を指す。

愚連隊シリーズ三作目の『どぶ鼠作戦』は、戦争活劇という岡本の狙いがもっとも成功した例で、九〇分の上映時間に、アクションやスパイのだまし合いなど、多様な要素が詰め込まれている。この映画は観客の支持を得て、愚連隊シリーズのなかでも最高の興行成績を記録した。

しかしながら、話が複雑だということで、東宝執行部の評判は芳しいものではなかった。そのためか、愚連隊シリーズの続編として『やま猫作戦』が製作された際には、佐藤允以下、キャストのほとんどが続投するなか、監督は岡本から谷口千吉に交代するのである。

戦後日本の中国観

さて、これまで愚連隊シリーズをみてきたが、このシリーズに共通する要素として日中戦争とその記憶がある。

図5　『独立愚連隊西へ』フランキー堺演じる八路軍の将校　© TOHO CO., LTD.

すでに確認したように、『独立愚連隊』の終盤では八路軍との戦闘が描かれており、そこでは中国の兵士たちが「虫ケラ」のように死んでいった。それに対して、萩昌弘や武田泰淳が違和感を表明したわけだが、荻と武田の反応は、おそらく当時の知識人たちの中国認識をある程度代表していたと推察できる。そのように推測する根拠として、『独立愚連隊』が公開された一九五九年当時の、日本社会における中国観を瞥見しておきたい。

政党からみてみよう。共産党は一貫して中国を支持しており、社会党も一九五五年の左右両派の統一以降は、親中国の態度を表明していた。また、日本社会で日常を営む元兵士たち、とりわけ中国戦線を経験した者たちのあいだには、中国に対する自責・贖罪意識があったと考えられる。なぜなら、中国共産党は、一九五六年の全国人民代表大会・常務委員会で、抑留中の日本人戦犯の処遇について、次のように決定していたからである。それは、日本人戦犯は起訴免除、即時釈放のうえ帰国を認めるという決定だった。釈放された元兵士たちは、帰国後に中国帰還者連絡会を組織した。[26]

このように、一九五〇年代末の日本社会には、中国への罪障感だけでなく、感謝の念や同情・共

26—馬場公彦『戦後日本人の中国像——日本敗戦から文化大革命・日中復興まで』(新曜社、二〇一〇年)一八六頁。

感が一定程度共有されていた。[27] その傾向が特に強かったのは、知識人たちだった。逆境から独立を果たした中国に対して、日本は自国の領土内に米軍基地を置き続けている。それを良しとしない知識人たちのあいだに、親中国の態度は広まっていた。それゆえに、娯楽映画であれ、戦争を描く以上、そこで中国兵を大量に殺すことは、歴史認識・現実認識に欠けるものとして批判の対象になったのである。

さらに、重要なことに、映画の舞台になっている「北支戦線」は、日本軍と八路軍との激しい「治安戦」が繰り広げられた地域だった。その全貌については、いまだ解明されていない点も多いが、日本軍将兵と中国民衆の双方の記録が一致する事例研究は積み重ねられている。ここでは、笠原十九司による研究『日本軍の治安戦――日中戦争の実相』（岩波書店、二〇一〇年）に依拠して、「北支」地域における日本軍の「治安戦」について、概要を記しておく。

「治安戦」とは、「日本軍が確保した占領地の統治の安定確保を実現するための戦略、作戦、戦闘、施策などの総称である」。[28]「北支」地域における日本軍の「治安戦」の主要な対象は、共産党と八路軍だった。日本軍は、国民政府軍と前線において戦いながら、後方の占領地において、八路軍・新四軍・抗日ゲリラ部隊と闘った。後者が、主に「治安戦」と呼ばれた。

ゲリラ戦では、戦闘員と非戦闘員を見分けるのが困難であったため、日本軍は多くの民衆を殺戮した。さらに、対ゲリラ戦のために、中国人を登用して、さまざまな工作活動を行った。この「治安戦」では、日本軍による掃討作戦が実施されたが、その掃討作戦の残虐さから、中国側はこれを「三光」と呼んだ。焼光（焼き尽くす）、殺光（殺し尽くす）、搶光（奪い尽くす）、という意味である。一九五七年には、光文社のカッパ・ブックスから、神吉晴夫編『三光――日本人の中国における戦争犯罪の告白』が上梓された。これは元・日本兵の証言集として編集されたもので、日本社会に波紋を投げかけた。

『独立愚連隊』が公開された一九五九年当時、「北支」地域における日本軍の蛮行について見聞きしたことがある者や、想像力を働かせることができた者にとって、「北支」地域をただの娯楽として描くことには違和感が残っただろう。『独立愚連隊』への批判や違和感の背景には、こうした事情があったのである。

27―二〇一九年の現代から見れば、萩も武田も、中国人兵士の描かれ方については違和感を表明しているが、朝鮮なまりの日本語を話す慰安婦業者と、彼女が率いる慰安婦たちについては、一言も述べていない。中国人兵士の焦点化と、慰安婦描写への無関心の二点は、ともに五〇年代末の戦争の記憶の二面性を示していると考えられる。

28―笠原十九司『日本軍の治安戦――日中戦争の実相』（岩波書店、二〇一〇年）一九頁。

『どぶ鼠作戦』における加害の記憶

『独立愚連隊』には、中丸忠雄の演じる藤岡中尉が、「八路の密偵」とされた中国人民衆を処刑しようとする場面がある。処刑と言っても、軍の手続きに沿ったものではなく、「暇つぶし」を兼ねたピストルの試し打ちが目的である。そこで、処刑対象として選ばれたのが上原美佐演じるヤン小紅だった。ヤン小紅は、逃げ惑うことなく立ち止まり、ピストルを持つ藤岡をにらみ返す。ここでは、藤岡は「いい度胸だ」と述べるだけであり、中国人の視線が物語に関わることはない。しかし、『どぶ鼠作戦』では、中国人の視線が、より大きな役割を演じている。

『どぶ鼠作戦』で夏木陽介演じる新任参謀が八路軍の軍医（江原達怡）の銃殺を命じる場面に注目しよう（図6）。参謀は、初めて戦場に出た緊張もあって逆上し、不要な銃殺を命じる。軍医は目隠しを拒み、銃殺される直前まで、参謀をにらみつけている。処刑される者が、処刑する者を見つめ返すという構図は『独立愚連隊』と全く同じである。刑は執行されるが、中国人軍医の開いた目は、死んでもなお参謀を射貫いている（実は彼は生きているのだが）。その後、若い参謀は、八路軍に拉致されてしまう。監禁中の参謀は、軍医の眼光を忘れることができない。夢にまで見て、うなされるのである。

ここでは、銃殺の記憶にさいなまれる参謀の姿を通して、わかりやすく加害の記憶が描かれてい

図6　『どぶ鼠作戦』八路軍の軍医の銃殺を命じる場面　© TOHO CO., LTD.

る。痛快な娯楽を掲げた愚連隊シリーズのなかでは異例のことである。『独立愚連隊』でも『暗黒街』シリーズでも、岡本はアクションの演出が評価された。そこに岡本の本質をみる、山根貞男の次のような批評もある。

> まちがいなく岡本喜八の映画は、どんな心情や情念とも無念なのである。あらゆる登場人物は、いうなればロボットのように、ひたすら純粋アクションだけをくりひろげて、たとえ人を殺すにしても、まるで殺意などないといっていい。そして登場人物と同様、情景描写や画面転換のさまも、映像の純粋アクションとしてのみ徹底させられている。[29]

しかし、本章が『独立愚連隊』以後の映画を対象に確認したように、戦中派の心情や情念もまた、岡本の個性だった。『どぶ鼠作戦』では、「純粋アクション」に加えて、殺意を抱いた人間がその殺意によって苦しまねばならない様子が描かれていた。「ロボット」のような参謀が中国大陸で加害性を自覚して「人間」になる——こう書くといかにも反戦映画的な図式になるが、岡本喜八が案外にそうした「正しさ」を手放さなかったことは、強調しておきたい。

最後に、『どぶ鼠作戦』で日本人と中国人が入り乱れる場面の演出について、考察を付け加えたい。『どぶ鼠作戦』では、日本人と中国人とのあいだの境界線が撹拌される場所として、群衆が演出されている。八路軍に潜入した主人公たちが、八路軍の兵士の結婚を祝う宴に紛れ込んで八路の探索をやりすごすという場面がそれである[30]（図7）。

この場面以外にも、日本人が実は中国人で、中国人が実は日本人だったという意外性が、作劇のスパイスになっている。とりわけ、その傾向が顕著なのは、参謀を救出に行く特別部隊を編成する場面だ。上官は「今回は日本人だけで行ってもらいたい。日本軍の恥をさらしたくないからな。その代わり、各隊から優秀な兵隊を何人でも選んでも良い」と指示する。しかし、佐藤允演じる「白虎」という特務隊員は「いいえ、ガラクタで結構です。優秀な兵隊ってのは、えてして使いものになりませんからな」と返答する。白虎は「優秀な兵隊」という指示には意見を述べるが、「日本人だけ」という点はそのまま受け入れているように、観客は観る。しかし、白虎が編成した「日本人」

29―山根貞男「岡本喜八の初期活劇――ハードボイルドな遊戯精神の爆弾」（『活劇の行方』草思社、一九八四年）七九頁。
30―群衆が盛り上がる様子は、岡本喜八の映画のなかにしばしば描かれている。たとえば、本書の第二章で福間良明が論じる『ジャズ大名』のジャム・セッションや、第三章で佐藤彰宣が論じる『赤毛』の「ええじゃないか」の場面が思い浮かぶ。

図7　『どぶ鼠作戦』群衆の場面　© TOHO CO., LTD.

の部隊には、実は最初から八路のスパイが入り込んでいた（それは白虎も知らない）。「日本人だけ」という部隊編成の条件が、実は最初から虚構であったことが、最後にわかる仕掛けになっているのだ。実は中国人だったという意外性とナショナリズムが破綻する痛快さとを混ざり合わせて上質の娯楽を成立させるという、極めて困難な作業を、ここで岡本は軽々と達成している。

以上を考慮すれば、岡本は岡本なりに、『独立愚連隊』に対して投げかけられた批判に応答していたのだと理解することも可能だろう。そこには、映画評論家と監督との緊張感のある対話があった。映画が生まれ、批評され、そこからまた映画が生まれていくという環境が、監督岡本喜八が生まれる母胎となったのである。

おわりに

本章では、岡本喜八の来歴を確認した上で、初期作品における岡本演出の特徴を辿ってきた。監督デビュー作『結婚のすべて』から、白坂依志夫の脚本の力もあり、すでに演出のテンポ、カットのつなぎ方の工夫、音楽の使い方、「面白さ」の追求などの要素が、ある程度完成していたことがわかる。

では、厭戦・反戦意識やアウトサイダーへの共感は、初期作品のなかでどのように表れたのだろうか。これまで確認したように、毀誉褒貶相半ばした『独立愚連隊』は、戦争のバカバカしさを描くことによって厭戦・反戦意識を表現するという岡本の意図が結実した作品だった。同時に、『独立愚連隊』は、岡本自身が脚本を手がけたことによって、ならず者の男たちの共同体が明示的に描かれた最初の作品になった。

『独立愚連隊西へ』では、前線の将兵たちの機転とユーモアによって戦闘が回避されるという喜劇的要素が加わり、『どぶ鼠作戦』においては、中国人の視線を繰り返し取り込み、台詞で語らせることで、ある意味ではわかりやすい「反戦」のメッセージが表れることになった。

岡本の「初期作品」から明確に指摘できるのは、量産体制を求めた映画産業側の要請に応えながら、批評家からの批判にも応答するという、監督としての幅の広さであろう。それは、戦争体験と長い助監督時代の経験によって蓄積された岡本の器用さを示しているように思われる。

本章が取り上げた「初期作品」以降、岡本は時代劇にも手を広げるとともに、一方では大作戦争映画を任せられ、他方では低予算映画で自身の戦争体験に向き合うという多面的な展開をみせた。そうした多面的な展開の萌芽が、すでに初期作品において実践されていたことは明らかである。また、細かいカット割りによる映画のスピード感もまた、『結婚のすべて』ですでに達成されていた。

現代においても、岡本喜八の映画が古びないのは、そうした展開の早さによるところが大きい。以上のように、岡本が苦心した映画内の時間の操作や、複数のストーリーラインを巧みにつなぐ編集技法、そして、厭戦・反戦のメッセージを巧みに操作して映像化する方法は、日本の娯楽映画を新たなステージに押し上げたと評価することができる。岡本喜八の「カッコイイ戦争」には、これらの形式と内実が備わっていたのだ。

FUKUMA Yoshiaki

福間良明

第2章

「フマジメ」な抗い

喜劇へのこだわりと「正しさ」への違和感

〈取り上げる作品〉
『日本のいちばん長い日』『肉弾』『どぶ鼠作戦』
『独立愚連隊西へ』『血と砂』『江分利満氏の優雅な生活』
『ダイナマイトどんどん』『ジャズ大名』

「生きては帰れない」――よしましょうや、修身の教科書みたいなことはぁ。あれは文部省で勝手に作っただけの話ですからなぁ。

（『どぶ鼠作戦』一九六二年）

はじめに

岡本喜八が手掛けた映画全三九本のうち、戦争を扱った作品はかなり多い。『独立愚連隊』『独立愚連隊西へ』『どぶ鼠作戦』『日本のいちばん長い日』『肉弾』などは、すぐに思い起こされよう。岡本喜八自身も一九八〇年の文章のなかで、何らかの意味で「戦争」を念頭に製作したものは一一本に及ぶことを語っている。[1] 岡本の戦争体験を考えれば、それはおそらく当然のものであろう。

一九二四年生まれの岡本は、明治大学専門部商科に進んだものの、戦局悪化のため繰り上げ卒業となり、戦争末期は特別甲種幹部候補生として、豊橋予備士官学校に籍を置いていた。そこで目の当たりにしたのは、上官の不正や横流し、恣意的な暴力とともに、苛烈な空襲のなかで無残に死んでいった戦友たちであった。岡本は「愚連隊小史・マジメとフマジメの間」(『キネマ旬報』一九六三年八月下旬号)のなかで、「士官学校の庭に二五〇キロバクダンが落っこつて同室の戦友の九九%がハラワタをさらけ出し、足や手を吹っとばし、頸動脈をぶった切られて死ンだ。彼等の肉片をこびりつかせ、頭からドップリ血のりを浴びても生き永らえた。永らえては見たものの死神が背中のそこいら迄来てる事を再確認した」と回想している。[2]

とはいえ、いわゆる「戦争大作映画」とされるものは、さほど多くはない。東宝創立三五周年記念作品」として作られた『日本のいちばん長い日』と「激動の昭和史」シリーズの『沖縄決戦』くらいなものであり、大多数はアクションやコメディを散りばめた娯楽作品か、さもなくば、低予算でATGと提携して製作された『肉弾』のような作品である。その点で、松林宗恵や丸山誠治、小

1―岡本喜八「戦争映画と私」『NOMAプレスサービス』一九八〇年九月五日号。引用は岡本喜八『マジメとフマジメの間』(ちくま文庫、二〇一一年)一一頁。

2―岡本喜八「愚連隊小史・マジメとフマジメの間」(『キネマ旬報』一九六三年八月下旬号)。引用は、岡本喜八『マジメとフマジメの間』(前掲)五一～五二頁。

林正樹といった著名な「戦争映画監督」とは異質だった。[3]

また、「反戦映画」とも一線を画している。「反戦」を主題にした（とされる）大作映画としては、関川秀雄監督『きけ、わだつみの声』（一九五〇年）、今井正監督『ひめゆりの塔』（一九五三年、一九八二年）、小林正樹監督『人間の条件』（全六部、一九五九〜六一年）などがよく知られているが、岡本作品がそれらと同列に扱われることは少ない。

では、岡本喜八の戦争体験と彼の戦争映画はどう重なっているのか。そこに岡本のいかなる戦争認識が垣間見えるのか。「反戦」や「勇ましさ」を声高に叫ぶことに、どのような距離感や躊躇いを有していたのか。本章は、岡本喜八の戦争映画を手掛かりに、その「戦争体験の思想」を読み解いていきたい。[4]

1　感銘への抗い

『日本のいちばん長い日』の大ヒットと批判

一九六七年八月、映画『日本のいちばん長い日』（東宝）が公開された。ポツダム宣言受諾に決するまでの政府・軍における軋轢と、玉音放送を阻むべく玉音盤奪取を企てた陸軍青年将校のクーデター未遂事件（宮城事件）をサスペンス調に描いた作品である。
宮城事件を扱った映画としては、阿部豊監督『日本敗れず』（新東宝、一九五四年）や小林恒夫監督『八月十五日の動乱』（東映、一九六二年）などがあるが、これらの公開時点では、宮城事件等の

3―松林宗恵は「社長シリーズ」のようなサラリーマン喜劇のほか、『人間魚雷回天』（新東宝、一九五五年）、『潜水艦イ―五七降伏せず』（東宝、一九五九年）、『太平洋の翼』（東宝、一九六三年）、『連合艦隊』（東宝、一九八一年）などを手掛けている。丸山誠治が監督を務めた戦争大作映画としては、『太平洋奇跡の作戦　キスカ』（東宝、一九六五年）、『連合艦隊司令長官　山本五十六』（東宝、一九六八年）、『日本海大海戦』（東宝、一九六九年）、『大空のサムライ』（東宝、一九七六年）などがある。小林正樹の戦争をテーマにした監督作品には、『壁あつき部屋』（松竹、一九五六年）、『人間の条件　第一〜六部』（一九五九〜六一年）、『東京裁判』（東宝東和、一九八三年）などがある。

4―岡本喜八の戦争映画について考察した研究としては、門間貴志「岡本喜八と戦争映画――可変的アイデンティティ」（『明治学院大学藝術学研究』第一九号、二〇〇八年）がある。同論文では、『独立愚連隊』『独立愚連隊西へ』『どぶ鼠作戦』『血と砂』をとりあげ、中国語が堪能な日本人（日本兵、特務隊員）や日本語が堪能な中国人馬賊等に着目しながら、「日本」と「中国」のあいだで「アイデンティティの転換」が行われているさまに言及している。それに対し本章は、岡本喜八の映画や発言を同世代の戦中派知識人の議論とも対比しながら、岡本喜八の戦争認識を検討していく。

図1 『日本のいちばん長い日』ポスター © TOHO CO., LTD.

詳細は、さほど明らかになっていなかった。その真相が一定程度知られるようになったのは、半藤一利（当初は大宅壮一編）による『日本のいちばん長い日』（文芸春秋社、一九六五年）の刊行による。半藤ら文藝春秋社「戦史研究会」メンバーは、外務省『終戦史録』や迫水久常、竹下正彦、井田正孝、鈴木貫太郎ら関係者の手記にあたったのみならず、松本俊一（終戦時の外務次官）、佐野小門太（終戦の証書を浄書した内閣理事官）、鈴木一（首相・鈴木貫太郎の長男で首相秘書官）ら、政府・軍・宮内省、ＮＨＫ、横浜警備隊関係者に広く取材を行った。こうして生み出されたノンフィクションをもとに作られたのが、岡本の『日本のいちばん長い日』であった[5]（図1）。

興行成績は四億四二〇〇万円の大ヒットとなり、『黒部の太陽』に続く日本映画年間第二位を記録した。これをきっかけに、東宝は「八・一五シリーズ」と銘打って、『連合艦隊司令長官 山本五十六』（丸山誠治監督、一九六八年）、『激動の昭和史 軍閥』（堀川弘通監督、一九七〇年）といった戦争大作映画を毎年八月に公開するようになり、一九七二年の『海軍特別年少兵』（今井正監督）まで続けられた。その意味で、『日本のいちばん長い日』は、戦後の戦争映画史において、ひとつの画期をなす作品であった。

5――二〇一五年には原田眞人監督によるリメイク版が製作されている。

だが、その一方で、この映画には批判も少なくなかった。その多くは、「一般国民の視線の欠如」を指摘するものだった。評論家の尾崎秀樹は『映画芸術』(一九六七年一〇月号)に寄せた批評のなかで、次のように述べている。

『日本のいちばん長い日』の主役は、「忠臣蔵」の浅野長矩と大石内蔵助を一しょにしたような役柄を貫禄充分に演じる三船敏郎であり、蹶起する青年将校の間に立つ井田中佐の苦闘であり、ということになって、あの日を冷静に迎えた日本の大多数の大衆ではなかった。たしかに国民のなかには、あの玉音放送に泣き、あるいは土地にひれふした人々もいただろう。しかし、平凡な朝から夜中までをすごして、その日のねむりについたごく日常的な大衆の生活も、戦争のかげにはあったのだ。[6]

尾崎はそのうえで、岡本が豊橋予備士官学校で特別甲種幹部候補生(高等教育機関在学者・卒業者を対象にした陸軍初級将校指揮官の養成課程)だったことにふれながら、「それだけに私は彼に「あれでいいのか」と問いつめたい気持ちになる」「君にとっての戦争とは、あのようなものだったのかと訊いてみたいのだ」と、苛立ちをあらわにしていた。『東京新聞』(一九六七年八月三一日、夕刊)の映画評でも、「戦争指導者たちとは別に、何も知らされてなかった国民にとっては、あの日はいちばん短い日だったろうと思う。製作者側はこの映画を作った意義を強調していたが、そのへんを描かずに二十二年後にこの作品をどんな意図で作ったのか、理解に苦しむね」というコメントが掲載されていた。[7]

灰皿と無表情な特攻隊員

たしかに、『日本のいちばん長い日』は、「徹底抗戦」を叫ぶ陸軍省軍務課・軍事課のエリート将校の狂気と、終戦実現のために閣議の合意形成に苦悩する首相・鈴木貫太郎（笠智衆）、自決して青年将校の暴発を抑え込む陸軍大臣・阿南惟幾（三船敏郎）のヒロイズムを描いており、「一般の国民大衆」の終戦体験とは主題が異なっている。だが、はたしてそれだけの映画なのだろうか。

それを考えるうえで、児玉基地（埼玉県）からの特攻出撃の場面は興味深い。閣議ではすでにポ

6―尾崎秀樹「あれでいいのか」（『映画芸術』一九六七年一〇月号）。引用は岡本喜八『フォービートのアルチザン』（東宝株式会社出版事業室、一九九二年）八二頁。

7―「今月の邦画ベスト3」『東京新聞』（一九六七年八月三一日夕刊）。引用は岡本喜八『フォービートのアルチザン』（前掲）八二頁。

ツダム宣言受諾に決し、連合国への公電発出も終わろうとしていた八月一四日の深夜、児玉基地では特攻出撃前夜の壮行会が行われていた。だが、町民も交えて喧騒が繰り広げられるなか、茫然と立ち尽くす特攻隊員が映し出されていた。しかも、その場面では近景に、吸いかけのタバコが置かれた灰皿が映されている。カメラのフォーカスも灰皿に当てられており、その後景にある特攻隊員はスクリーンのなかでは大きく映されながらも、ピントが外されていた（図2）。

ほんの数秒のこのシーンは、その後のストーリー展開にとくに絡むわけではないので、オーディエンスにしてみれば、ないほうがわかりやすいようにも思われる。さらに言えば、この場面は、原作本には見当たらない。だとすれば、映画化に際して、意図的に設けられたと考えるべきだが、なぜ、そのようなシーンが盛り込まれたのか。

図2　『日本のいちばん長い日』の特攻隊員歓送シーン　© TOHO CO., LTD.

そこには、自らの死を意味づけることができず、煩悶する末端の兵士の心情を読み取ることができるだろう。それは「皇国の興廃はかかって出撃諸君の双肩にある」という野中飛行団長（伊藤雄之助）の訓示に沿うものでもなければ、阿南や鈴木の「終戦のヒロイズム」に回収されるものでもない。さらに言えば、政府・軍上層部や軍務課青年将校らの終戦体験とは異質なそれを浮かび上がらせているとも言えよう。

同様の場面は、わずかながらほかにも見ることができる。八月一五日早朝、いよいよ特攻機が出撃するシーンでは、笑顔を振りまいたり、眦（まなじり）を決した特攻隊員とは別に、無表情でつかみどころのない隊員の表情も映し出されている。すでに外務省では、ポツダム宣言受諾の連合国あて公電発出を終えていただけに、特攻出撃の空疎さは際立っている。また、先の壮行会の場面では、喧騒から離れて椅子に腰かける野中飛行団長が、うつむき加減に一点を凝視し、唇をかみしめていた。これもほんの一、二秒のシーンだが、ポツダム宣言受諾をおそらくは知っていた野中が特攻出撃を命じなければならなかったことの苦悩と逡巡が透けて見える。

ラスト近くでは、玉音盤奪取に失敗した椎崎二郎中佐（中丸忠雄）・畑中健二少佐（黒沢年男）がポツダム宣言受諾反対のビラを絶叫しながら撒くシーンがあるが、そこでは、防空壕のなかにいた「浮浪児」がビラを手に取り、首をかしげているさまも描写されている。「聖戦の理念」や映画の主題である「終戦のヒロイズム」に対する末端の人々の相容れなさのようなものが、示唆されている。

岡本自身も「防空ごうの中にいた浮浪児がビラを拾う姿が出てくるでしょ。あの浮浪児が僕なのです。僕の気持ちです」と語っていた。[8]

「終戦のヒロイズム」との不調和

実際に、岡本の戦争体験は、心地よい物語に回収できるようなものではなかった。岡本は目の前三〇メートルの至近距離に爆弾が投下された先の空襲体験に触れながら、「タダモウアタリ一面ハ泥絵具ノ地獄絵ノ惨状、目ノ前に片手片足ヲ吹ッ飛バサレテモナオ、「畜生ッ、コン畜生！」トハミ出シタハラワタヲ押シ込マントスル戦友アリ」「ヤガテ、ハラワタヲサラケ出シタ戦友モ、私ガ首根ッコヲ［止血のために］押エツケテイタ戦友モ大アグラのマンマガックリウナガレテ死ンダ。マコト生死ハ紙一重」と述懐していた。略帽には「ダレノモノトモワカラナイ五グラムホドノ肉片ガシガミツ」いていたが、岡本は「紙一重」の差で軽傷ですんだ。[9]

凄惨な死を目の当たりにした経験と偶然生き残ったという実感は、戦争体験を語る際の「納得のゆかない気持ち」に固執した評論家・安田武とも通じるものである。上智大学在学中に学徒出陣で徴兵された安田は、玉音放送を知らずに朝鮮・満州国境付近でソ連軍と交戦していた。安田は戦友とともに岩陰に潜んでいたが、安田より一〇センチ外側にいた戦友が狙撃され、その戦友の一〇センチ内側にいた安田がたまたま生き残った。玉音放送がもう一日早ければ、その戦友も死なずにすんだかもしれないし、逆にもう一日遅ければ、安田も戦死したかもしれなかった。こうした経験を念頭に置きつつ、安田は『戦争体験』（一九六三年）のなかで、以下のように記していた。

アイツが死んで、オレが生きた、ということが、どうにも納得できないし、その上、死んでしまった奴と、生き残った奴との、この〃決定的な運命の相違〃に到っては、ますます納得がゆかない。――納得のゆかない気持は、神秘主義や宿命論では、とうてい納得ができないほど、それほど納得がゆかない。まして、すっきりと論理的な筋道などついていたら、むしょうに肚が立ってくるだけのことである。[10]

安田は体験を「すっきりと論理的な筋道」をつけて語ることに、つよい拒否感を抱いた。安田

8―岡本喜八「苦心した事実の重み」（『朝日新聞』一九六七年八月一一日夕刊）。引用は岡本喜八『フォービートのアルチザン』（前掲）八一頁。
9―岡本喜八『ななめめがね』（文化服装学院出版局、一九六九年）六頁。
10―安田武『戦争体験』（未来社、一九六三年）三四頁。

は同書のなかで、同世代の評論家・白鳥邦夫の言葉を引きながら「『他人の死から深い感銘を受ける』というのは、生者の傲岸な頽廃」であるとも述べている。[11] 死者への感銘は、戦後の生者が自らに都合よく死者を彩ろうとすることにほかならなかった。映画『日本のいちばん長い日』において、精気を欠いた特攻隊員の無表情や蹶起将校のビラを無造作に拾う「浮浪児」がほんの一瞬ながら描かれているところにも、安田武に通じる岡本喜八の戦争体験と情念を見ることができよう。

とはいえ、岡本は、あくまで「当時の日本の中枢、つまりは雲の上の終戦ドキュメンタリー」[12]が主題であった『日本のいちばん長い日』を、なぜ手掛けることになったのか。この映画は本来、岡本喜八ではなく、『壁あつき部屋』(一九五六年)や『人間の条件』(全六部、一九五九〜六一年)を手掛けた小林正樹が監督を務める予定だった。しかし、最終的に東宝と小林のあいだで話がまとまらずに、岡本が代わって担当することとなった。もともと、岡本は原作を読んでおり、「自分が昭和二十年に助かったのはどうしてか、ということがよく書かれていて、俺も知るべきだし、皆も知る必要がある」と感じていた。その一方で、「あれには庶民が出ないだろう、じゃ俺の体験から、庶民の側の戦争というか敗戦を描きたい」と考え、小林正樹が手掛けるであろう『日本のいちばん長い日』を言わば「標的」とした映画を構想していた。[13] それが、一九六八年に公開された『肉弾』につながったわけだが、皮肉にもその「標的」を岡本自身が監督することになった。

その意味で、『日本のいちばん長い日』は岡本自身というよりは、東宝主導で進められた企画だった。だが、そこでは「終戦」をめぐる政府・軍上層部の苦悩とヒロイズムが描かれる一方で、それらに回収され得ないものも、ほんの数秒のシーンではありながらも散りばめられていた。

2 喜劇へのこだわり

骸骨の怒号――『肉弾』

では、無表情で精気を失った特攻隊員や「防空ごうの中にいた浮浪児」の心情は、『肉弾』(図3)にどう投影されたのだろうか。

11―同上、一四二頁。
12―岡本喜八「自作を歩く　『肉弾』」(『東京新聞』一九九六年一〇月三日)。引用は、岡本喜八『マジメとフマジメの間』(前掲)一五五頁。
13―岡本喜八『しどろもどろ』(ちくま文庫、二〇一二年)九〇頁。岡本喜八「自作を歩く　『肉弾』」(『東京新聞』一九九六年一〇月三日)。引用は、岡本喜八『マジメとフマジメの間』(前掲)一五七頁。

図3　『肉弾』ポスター　© TOHO CO., LTD.

そこで描かれていたのは、「終戦のヒロイズム」とは対照的な「ぶざまな最末端兵士」の喜劇であった。主人公の「あいつ」(寺田農)は、あまりに軍務が不器用なため、罰として全裸で訓練をさせられる(図4)。甲種幹部候補生への糧食支給が過少で空腹に喘いだ「あいつ」は、牛のように胃袋に入った食物を反芻することで、少しでも空腹を和らげようとする。終戦間近の時期には、本土決戦に備えて、戦車への体当たり攻撃の訓練と、そのための砂浜への穴掘りに明け暮れるが、決行直前になって、魚雷での特攻に変更される。といっても、ドラム缶に魚雷を括り付けただ

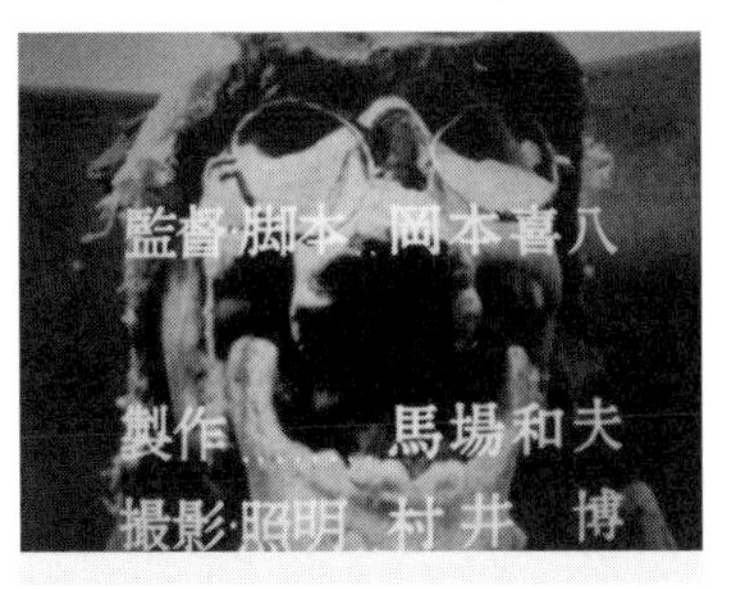

図4　『アートシアター』1968年10月号(『肉弾』特集)
図5　『肉弾』のエンドロール　© TOHO CO., LTD.

けであり、敵艦船を見つけるまでの数日間、ひたすら海上を漂流する。敵戦艦を発見できたと思ったら、魚雷が故障して、無為に海中に沈むのみならず、「敵艦船」に見えたものは、東京の業者の糞尿処理船だった。そこで、数日前に終戦になったことを知らされ、「あいつ」は呆気に取られる。そして、その船にロープで引かれて連隊本部まで戻ろうとするが、気づかぬうちにロープが切れて、「あいつ」は再び漂流する。ラストは、若者たちがマリン・スポーツに興じる一九六八年の夏の海を、ドラム缶のなかで干からびて骸骨と化した「あいつ」が漂いながら怒号する場面で締めくくられる（図5）。

昨今であれば、骸骨の怒号で終わる戦争劇映画は想像しにくいだろう。そこには、「美しい物語」に回収されることを拒もうとするかのような戦争をめぐる憤りを読み取ることができる。

「あいつ」と滑稽なぶざまさ

だが、それればかりではなく、末端の兵士の「ぶざま」な終戦体験が喜劇調で描かれることも、特徴的である。そこに、岡本のどのような意図が投影されていたのか。これについて、岡本は「戦争映画と私」（一九八〇年）のなかでこう記している。

当時［戦争末期］の私は、自分の寿命を「うまく行って二十三、下手すれば二十一」と、大掴みで踏んでいたのだが、刻々と近づく死への恐怖をマジメに考えると、日一日とやりきれなくなって行く。それが高じて、もし発狂でもしたらみっともない。そんなある日、はたと思いついたのが、自分を取りまくあらゆる状況を、コトゴトく喜劇的に見るクセをつけちまおう、ということであった。

これは、存外うまく行った。飢えや、殴る教官や、対戦車特攻訓練を〝笑い〟にすりかえることで、ひそかに、ささやかな楽しみが増え、常時〝死〟のことを考えるコトも無くなったからである。[14]

戦争末期の日常をことごとく喜劇的に眺め、自らの飢えや体当たり攻撃の訓練、上官の横暴さを「笑い」にすりかえることは、「うまく行って二十三、下手すれば二十一」という死の恐怖を前に、「発狂」せずに生き抜くギリギリの術であった。そのゆえに、映画のなかでは、「大したことはない。

14―岡本喜八「戦争映画と私」（『NOMAプレスサービス』一九八〇年九月五日号）。引用は岡本喜八『マジメとフマジメの間』（前掲）一一二〜一一三頁。

ほンとに大したことはない」という「あいつ」の心情を代弁したナレーションが、幾度となく繰り返される。[15]

「大したことはない」という台詞は、「外界にたいするいきいきとした反応」を失い、「自己にとってさまざまな現象や事物の〝価値〟がかたちづくる起伏」が喪失しているさまを浮かび上がらせる。矢島翠は、『肉弾』を評した「戦争映画と「死ねるぞ」の思想」(『映画評論』一九六八年一二月号)のなかで、こう記している。

> 裸の制裁をうけても「大したことはない」。特攻隊員になり、一足とびに神様あつかいにされても、「それだけの話だ」。[予備士官学校の]学校長が[退職金代わりに]小豆を背負ってサヨナラしても「大したことはない」。それは死に向かう者の心情だろう。死という極点からふりかえるとき、生の側に屈するすべてのものは等価値となり、「大したことはなく」なる。なにが起ろうとも「それだけの話」として恕される。[16]

『肉弾』は、憤りを抱いてもおかしくないような仕打ちや理不尽さ、妙に空々しい「顕彰」を「大したことはない」と突き放す描写を通して、死を前にした澱んだ虚無感をコミカルに描いていた。

もっとも「あいつ」は特攻出撃前日に、最初で最後の外出をゆるされ、「前掛のオバケ」のような中年の娼婦、空襲で両手を失った古書店主の老人、「観音さまみたいな少女」(「うさぎ」)らと触れ合うなかで、「おれは死ねる。これで死ねる。君のために死ねる。……おれは、君を守るために死ねるぞィ……」「やるぞ、おれはやるッ、古本屋のオジイサンとオバアサン、前掛のオバサン、モンペのオバサン、手榴弾の坊主、みンなを守らなきァ……」という思いを持つに至る。[17]とはいえ、それもことさらに肩肘張ったものではない。「あいつ」が太平洋を彷徨っているとき(図6)のナレーションは次のようなものである。

あいつが、こンなところに、ひとりぼっちで、ドンブラコ、ドンブラコと浮かンでたのは、ざっと、まァ、こンな訳である……特攻には色々と、それらしい名前がついた〝神風〟〝回

15―シナリオ「肉弾」(『アートシアター』六二号、一九六八年)四〇頁。
16―矢島翠「戦争映画と『死ねるぞ』の思想」(『映画評論』一九六八年一二月号)三六〜三七頁。
17―シナリオ「肉弾」(『アートシアター』六二号、一九六八年)四九頁・六三頁。

図6　魚雷を括りつけたドラム缶舟に乗る「あいつ」　© TOHO CO., LTD.

天〃〃蛟竜〃〃震洋〃〃桜花〃……しかし、この、どたンばになって、生まれた、こいつばっかりは、名無しの権兵ェであった。強いて名づければ〃ドン亀〃あたりが適当であろう……なにしろ、こいつには、手も足もなかった。[18]

そこでは、死を前に意味を見出そうとするさまでさえ、諧謔味を帯びて描かれていた。その意味で、岡本にとって「喜劇とは、シリアスドラマと肩を並べても差支えないほど、痛烈なもの」であり、[19]往時の心情を突き詰めて表現しようとすれば、「喜劇」に仕立てるしかなかった。

岡本は「愚連隊小史・マジメとフマジメの間」（一九六三年）のなかで、「ひめゆりの塔やきけわだつみの声にはただもうヤミクモに泣いた。ナミダが眼鏡のタマにたまっちゃって、殆ンどアウトフォーカスの画面になっちゃうほどに泣いた[20]」ことにふれつつも、以下のように記している。

戦争は悲劇だった。しかも喜劇でもあった。戦争映画もどっちかだ。だから喜劇に仕立て、バカバカシサを笑いとばす事に意義を感じた。戦時中の我々はいかにも弱者であった。戦後十三年目の反抗は弱者ノツヨガリだったかもしれない。しかし弱くてちいちゃなニンゲンであった兵士たちにとって、バカバカシサへの反抗は切迫した願望でもあった。[21]

戦争体験を喜劇仕立てに描くことは、「弱者ノツヨガリ」のあらわれではあった。だが、それは、軍のありようの「バカバカしさ」を直視し、笑い飛ばしながら拒絶することを意味していた。岡本にとって「フマジメさ」や「バカバカしさ」は、「シリアスドラマと肩を並べても差支えないほど、痛烈なもの」にほかならなかった。

「顕彰」への違和感

こうした情念に基づきながら、岡本映画のなかでたびたび描かれたのは、「正しい」とされているものへの嫌悪であった。『肉弾』では、ある少年が教師に「太平洋や南の海には、すでに新しい日本の国生みが行なわれました。[……]神武天皇の御代を仰いだり、明治の御代のみさかえをこ

18―同上、六一頁。
19―岡本喜八「戦争映画と私」(前掲)一三頁。
20―岡本喜八「愚連隊小史・マジメとフマジメの間」(前掲)五〇頁。
21―同上、五三頁。

図7　『どぶ鼠作戦』ポスター　© TOHO CO., LTD.

とほいだりするように、のちの世の人々が、昭和の御代の御光りを仰ぎ見る日が参ります」という一節を朗読させられている場面があるが、岡本は「あいつ」に「狂ってる、あんな教科書、こさえた奴も教える奴も……」と語らせている。[22]

同様の場面は、ほかの映画にも見出すことができる。『どぶ鼠作戦』（一九六二年、図7）では、八路軍の捕虜になった若い参謀（かつ師団長の息子）・関大尉（夏木陽介）が自決の意志を固めようとする場面があるが、それに対し、彼を救出に来た主人公・白虎（佐藤允）は、「「生きては帰れない」――よしましょうや、修身の教科書みたいなことはぁ。あれは文部省で勝手に作っただけの話ですからなぁ[23]」と笑みを浮かべながら言い放つ。「修身の教科書」というよりは、「生きて虜囚の辱めを受けず」という戦陣訓を念頭に置いた場面だが、その戦時の規範を役所が「勝手に作っただけの話」としてあざ笑う姿勢が、鮮明に浮かび上がる。

また、『独立愚連隊西へ』（一九六〇年、図9）では、玉砕した部隊の連隊旗を取り戻し、金鵄勲章と二階級特進を目論む関曹長について、主人公らは「くれてやりますよ、勲章なんか」「そうだな、

22―シナリオ「肉弾」（前掲）五一頁。
23―DVD『どぶ鼠作戦』（東宝、二〇一〇年）より。

図8 『独立愚連隊』ポスター © TOHO CO., LTD.

図9 『独立愚連隊西へ』ポスター

勲章なんか欲しがるのは、子どもと軍人だけだからな」「やつが危険なのは、勲章欲しさに狂うことだ」との軽侮を語っている。[24] 連隊旗を兵士たちの人命以上に重んじることが勲功争いを招き、そのことがさらなる人命の損耗につながっていることが揶揄されている。

靖国神社にまつわる描写も興味深い。『血と砂』(一九六五年)では、敵前逃亡の濡れ衣で銃殺された若い見習士官の亡骸が埋められる場面があるが、その際、もともと「葬儀屋」だった持田一等兵(伊藤雄之助)は、その亡骸にこう語りかけている――「まァ、いいや。でもねぇ、靖国神社だけは行くなよ。ほかの神さまにいじめられっから。一等いいのはね、なくなっちまうことだよ。魂もなにもかも、みんななくなっちまうことだよ。ね、そうしなさい。こうなったらもう、葬儀屋の言うこと、聞くもんだよ」[25]。そこでは、「英霊」として靖国に祀られることへの拒絶感が垣間見える。

3 イデオロギーの相対化

靖国批判と「白髪の老人」への憎悪

折しも、『血と砂』公開当時は、靖国国家護持問題が社会的な論争を引き起こしつつあった。すでに日本遺族会や自民党は、靖国神社の国営化をめざして動いており、一九六九年から一九七四年まで五度にわたって、国家護持法案が国会に提出された。当然ながら、それは憲法の政教分離規定に抵触するばかりではなく、戦前の国家神道のように靖国神社が他の宗教に超越するものともなりかねなかった。結果的に、左派政党のみならず、キリスト教から仏教、新宗教を含む宗教界の広範な反発を招き、靖国神社国家護持は実現しなかった。[26]

だが、その一方で、戦没者の心情に根差しながら国家護持を批判する動きも見られた。先述の安田武は「靖国神社への私の気持」(『現代の眼』一九六八年二月号)のなかで、次のように述べている。

最後に、もうひとつ遺族の方たちにおたずねしておきたいことがある。戦没者たちは、「戦死すれば靖国の神」となることを、ほんとうに信じ、ほんとうに名誉としていたのだろうか。私には、靖国神社に合祀されることを、つよく拒否している戦没者の声が、聞えてきてならぬ

24―DVD『独立愚連隊西へ』(東宝、二〇〇六年)より。
25―DVD『血と砂』(東宝、二〇〇六年)より。
26―福間良明『戦後日本、記憶の力学』(作品社、二〇二〇年)の第一章「靖国神社、千鳥ヶ淵――「社」と「遺骨」の闘争」参照。

――ように思えるのだが。……[27]

一九四三年一二月学徒出陣により陸軍に徴兵された安田は、上官や古年兵たちに「いじめぬかれ、小づきまさわれ、「陛下」の銃床で殴られ、馬グソを喰わされ、鉄鋲のついている編上靴ではり倒され、血を流し、歯を折られ、耳を聾され、発狂し、自殺した同胞」を軍隊の中で目にし、また自らも同様の経験を有していた。[28] おそらくは、こうした体験を念頭に置いた記述である。

政治思想家・橋川文三も、「靖国思想の成立と変容」(『中央公論』一九七四年一〇月号)のなかで、「靖国に祀られることを快く思わないはずの「英霊」の数はもっと多くなるはず」であることにふれながら、以下のように語っている。

――――――

靖国を国家で護持するのは国民総体の心理だという論法は、しばしば死に直面したときの個々の戦死者の心情、心理に対する思いやりを欠き、生者の御都合によって死者の魂の姿を勝手に描きあげ、規制してしまうという政治の傲慢さが見られるということです。歴史の中で死者のあらわしたあらゆる苦悶、懐疑は切りすてられ、封じこめられてしまいます。[29]

死者を顕彰することが、死者の苦悶や懐疑を削ぎ落としてしまう。橋川はこうした政治性を国家護持運動のなかに見ていた。それは、『血と砂』における靖国認識にも重なり合っていた。「ほかの神さまにいじめられ」ることの想起は、言うなれば「死者のあらわしたあらゆる苦悶、懐疑」と「靖国神社に合祀されることを、つよく拒否している戦没者の声」を直視しようとする姿勢の表れでもあった。

そのことは、戦争に前のめりになり、若者たちを戦場に駆り出した年長世代への怒りにもつながっていた。『江分利満氏の優雅な生活』（一九六三年、図10）の主人公・江分利満（小林桂樹）は、学徒出陣で徴兵され、ぶざまな末端の兵士として終戦を迎えていた。それをめぐる憤りについて、江分利はウィスキー片手に会社の後輩にカラみながら、次のように語っていた。

白髪の老人、白髪で温顔の老人は許せないよ。[……]まぁ、いい。戦争も仕方がない。す

27―安田武は「靖国神社への私の気持」（『現代の眼』一九六八年二月号）一九九頁。
28―安田武『戦争体験』（未来社、一九六三年）一六三〜一六四頁。
29―橋川文三「靖国思想の成立と変容」（『中央公論』一九七四年一〇月号）二三六〜二三八頁。

図10 『江分利満氏の優雅な生活』ポスター
（『東宝／映画ポスターギャラリー』東宝、1995年） © TOHO CO., LTD.

んでしまったことだ。しかし、白髪の老人は許さんぞ。美しい言葉で若者たちを誘惑したやつは許さんぞ。神宮球場の若者の半数は死んでしまった。テレビジョンもステレオも知らないで死んでしまった。[……]
　しかし、ずるいやつ、スマートなやつ、スマートガイ、抜け目のないやつ、美しい言葉で若者を誘惑することで金を儲けてたやつ、それで生活してたやつ、すばしっこいやつ、ハートのないやつ、ハートってことがわからないやつ、これは許さないよ。みんな許しても、おれは許さないよ。心のなかで許さないよ。[30]

　小説で直木賞を受賞した江分利の祝賀会の流れであったため、会社の後輩二名は夜通し付き合わされたわけだが、江分利は彼らにくだを巻きながら、年長世代への憤りをぶつけていく（図11）。そこには、岡本喜八や安田武ら戦中派に沈殿する怒りが表現されていた。「聖戦」「五族協和」といった「美しい言葉」は戦争遂行を導き、戦中派世代を戦地に駆り出したが、戦後においても、「顕彰」「靖国」をめぐる「美しい言葉」が、戦没者を含む戦中派の憤りを覆い隠そうとする。その

30―DVD『江分利満氏の優雅な生活』（東宝、二〇〇六年）より。

図11　酔いに任せて戦争への憤りを語る場面　© TOHO CO., LTD.

東宝
炸烈する地獄の最前線！下手に動けば火葬場行きだ！
血と砂
監督・岡本喜八
製作・田中友幸
脚本・佐治乾
岡本喜八
三船敏郎
佐藤允
団令子
伊藤雄之助
仲代達矢
名古屋章
天本英世
伊吹徹
長谷川弘
桐野洋雄
沢村いき雄
大沢健三郎

図12　『血と砂』ポスター

ことへの鬱積した不快感が、『江分利満氏の優雅な生活』には織り込まれていた。[31]

「不戦」への疑念

その一方で、「不戦」「反戦」といった戦後の「正しさ」についても、懐疑的な姿勢が垣間見られた。それを考えるうえでも、『血と砂』（図12）は示唆深い。志賀一等兵（天本英世）は、武器を取ることを頑なに拒み、三年間も営倉に入れられていたが、小杉曹長（三船敏郎）らと陣地攻略に駆り出され、小杉の瀕死の負傷を目にすると、躊躇いながらも、中国兵と刺し違える。それを見た犬山一等兵（佐藤允）は「やっぱしおめえも兵隊だったな」としみじみ語るが、そこには、戦場を前にした「反戦」の政治主義の「弱さ」が示唆されている（図13）。

31―酒造メーカーの宣伝マンを主人公にしたこの映画は、岡本喜八にとって思い入れがつよいものであったが、「社長シリーズ」（森繁久彌主演）や「無責任シリーズ」（植木等主演）のような「サラリーマンもの」を想定していた東宝幹部の不興を買い、また、興行的にも当たらなかったので、封切一週間で打ち切りになった。しかし、映画誌では総じて高く評価され、「映画評論」日本映画ベストテンでも第二位を獲得したほか、主演の小林桂樹は毎日映画コンクール演技賞・男優主演賞を受賞している。『シネアストは語る3 岡本喜八』（風琳堂、一九九一年）。岡本喜八『フォービートのアルチザン』（前掲）。

図13　志賀一等兵（天本英世）が刺し違える場面の撮影風景　© TOHO CO., LTD.
図14　終戦を伝えに来たゲリラ少年を狙撃する持田一等兵　© TOHO CO., LTD.

また、映画のラストでは、元「葬儀屋」の持田一等兵が日本の降伏と終戦を知らせに来たゲリラの少年を射殺する場面がある。その少年は、一時、小杉らの部隊に囚われていたが、持田は彼と親しく接しており、戦闘のどさくさのなかで彼を逃がしてやったのも持田だった。そうした持田への親近感から、少年は喜々として持田に終戦を知らせに来た。しかし、持田は直前の戦闘で小杉や犬山をはじめ、部隊が全滅したことに激昂して、少年を狙撃し、射殺する。そのときの表情は、「靖国神社だけは行くなよ」と見習士官の亡骸を埋めていたときとは打って変わって、「敵」への憎悪に満ちていた[32]。そこにも、戦争と距離を取り続けることへの困難が浮かび上がっていた(図14)。

さらに言えば、それは、戦後において「反戦」「不戦」を語ることの容易さを揶揄したものでもあった。戦時において「皇国の理念」が「正しい」ものであったのと同様に、それも戦後に「正し

32 ―戦後日本の戦争映画では「敵」はほとんど描かれていない。中国戦線を扱った「兵隊やくざ」シリーズ(大映)などでも、八路軍・国民党軍の兵士の人物像は描かれない。それに対し、中国戦線を扱った岡本喜八の映画(『独立愚連隊』『独立愚連隊西へ』『どぶ鼠作戦』など)では、彼らも主要な登場人物として、「顔」が具体的に描写されている。むろん、日本人俳優が彼らに扮しているわけだが、「敵の顔」(および彼らとの交流)が描かれている点でも、戦後日本では例外的な戦争映画である。その他、「陸軍中野学校」シリーズ(一九六六～一九六八年)でも、しばしば「敵」が具体的に描かれている。

い」とされていたものに過ぎなかった。「正しさ」にもたれかかることから生み出される思考停止が、岡本喜八の映画ではしばしば問われていたのである。

予定調和への反感

その意味で『血と砂』は、三船敏郎や佐藤允のアクション・シーンが多く散りばめられながらも、予定調和的な物語とは異質なものであった。「顕彰の美しさ」や「反戦の正しさ」への疑念が随所に織り込まれていただけではなく、ラスト近くでは、アップテンポなジャズの音律で「聖者の行進」がかき鳴らされるなかで、小杉配下の少年兵たちがバタバタと死んでいく。バックの音楽と無惨な死の描写とのギャップは、ともすれば勇壮な物語を期待しがちなオーディエンスを裏切り、「無意味な死」を累積していた旧軍の実相を思い起こさせる。映画はその後、「終戦」を伝えに来たゲリラの少年を持田一等兵が射殺し、その持田も八路軍に機関銃でメッタ撃ちにされる場面で幕を閉じる。これも、それまでに繰り広げられていたアクションの痛快さにはまったく相容れない「難死」（小田実）をオーディエンスに突きつける。

それは、『肉弾』や『江分利満氏の優雅な生活』にも通じていた。『肉弾』は「あいつ」のぶざまな体験や死の意味を模索する苦悩を喜劇調に描きつつ、ラストはいったんは糞尿処理船に曳航されて助かるも、再び漂流し、二〇余年後にそのまま骸骨と化して怒号する。『江分利満氏の優雅な生活』も、前述のようにクダを巻くシーンがラスト近くに置かれていたが、その意図として岡本は「あのくだりをごそっとやって、生活とか江分利満氏の歴史ってのはいろんな手を使って面白おかしく起承転結もなしにやってみたいと思った」と回想している。[33] いずれも、軽妙な喜劇タッチではありながらも、据わりのよい心地よさとは一線を画するものであった。

イデオロギーの嘲笑

わかりやすい主義主張や「美しい言葉」に落とし込まないスタンスは、直接的に「戦争」を扱うのではない映画にもしばしば見られた。『ダイナマイトどんどん』(一九七八年、図15)は暴力団の抗争を野球で決着をつけようとする荒唐無稽な喜劇であり、試合に勝つためにさまざまな暴力や買収、詐欺が行われるさまが描かれている。それは明らかに、一九六〇年代に隆盛した任侠やくざ映画のパロディであった。

『日本侠客伝』『昭和残侠伝』『緋牡丹博徒』といった任侠やくざ映画は、鶴田浩二や高倉健、藤純

33―『シネアストは語る3　岡本喜八』(風琳堂、一九九一年)二二一頁。

図15　『ダイナマイトどんどん』ポスター

子らが主演を務め、いずれも、「強大で横暴な悪玉やくざに圧迫される弱小・善良な善玉やくざが、ひたすら「任侠」の筋目を通し、我慢に我慢を重ねて、最後は悪玉やくざに殴り込みをかける」という内容になっていた。オールナイト興行の映画館では、「健全」なテレビ番組に飽き足らない若者たちが「不健全」な任侠やくざ映画の興奮に浸っていたが、そのなかには大学生の観客も少なくなかった。大学紛争が高揚していた当時、学生運動に身を投じたり、共感を抱く学生も多く、彼らは高倉健らの「仁義」に満ちた所作に、大学当局や機動隊とぶつかり合う自分たちを投影させていたのである。[34]

深作欣二監督『仁義なき戦い』（一九七三年）は、こうした「任侠」の予定調和を否認し、ヤクザたちの欲望に満ちた姿を描いたことで話題になったが、『ダイナマイトどんどん』はそれとはまた異なる形で、「任侠」という「正しさ」を笑い飛ばしていた。

筒井康隆の作品を原作にとった『ジャズ大名』（一九八六年、図16）もまた、イデオロギーの空疎さを映し出す。戊辰戦争下、駿河のある小藩は、官軍につくか幕府軍につくかで揺れていたが、漂

34―任侠やくざ映画のメディア史については、福間良明『殉国と反逆』（青弓社、二〇〇七年）参照。

図16 『ジャズ大名』ポスター

着した黒人たちが奏でるジャズに藩主・海郷亮勝（古谷一行）が魅了され、家中一同がジャムセッションに興じる、という荒唐無稽な物語である。ジャズへの没入が、戊辰戦争をめぐる「筋」や「正しさ」、イデオロギーを相対化し、笑い飛ばそうとするさまを浮かび上がらせる。岡本自身も原作から「「戦争にかまけるより、ジャズにかまけてたほうがはるかにマシである」っていうようなもの言いができるんではなかろうか」と考えたという。[35]

また、この映画では「メープルリーフ・ラグ」が繰り返し奏でられるが、そのことも示唆深い。もともとはアメリカ南部の黒人たちの葬送曲であったとされるが、映画のなかでは、場面が進むごとにますますアップテンポになっていく。特定のメロディが幾度も繰り返されながら徐々にアップテンポになっていく曲としては、ラベルの「ボレロ」が思い起こされるだろう。この映画のなかで奏でられる「メープルリーフ・ラグ」も、ある意味ではこれに通じるものである。

では、テンポに変化はありつつも、同一のメロディに固執し続けるさまに何を読み込むことができるだろうか。やや穿った見方かもしれないが、目新しい主義主張に次々に飛びつくことへの躊躇いを見ることができよう。これに関して、竹内好は「中国の近代と日本の近代」（一九四八年）のな

35—岡本喜八『フォービートのアルチザン』（前掲）一九〇頁。

かで、「転向」と「回心」を対比させながら、以下のように述べている。

転向は、抵抗のないところにおこる現象である。つまり、自己自身であろうとする欲求の欠如からおこる。自己を固執するものは、方向を変えることができない。わが道を歩くしかない。しかし、歩くことは自己が変ることである。自己を固執することで自己は変る。(変らないものは自己でない。)私は私であって私でない。もし私がたんなる私であるなら、それは私であることですらないだろう。私が私であるためには、私は私以外のものにならなければならぬ時機というものは、かならずあるだろう。それは古いものが新しくなる時機でもあるし、反キリスト者がキリスト者になる時機でもあるだろう。それが個人にあらわれれば回心であり、歴史にあらわれれば革命である。

回心は、見かけは転向に似ているが、方向は逆である。転向が外に向う動きなら、回心は内へ向う動きである。回心は自己を保持することによってあらわれ、転向は自己を放棄することからおこる。[36]

これは近代日本の政治理念の選択を念頭に置いた記述である。戦前・戦後の日本は「共産主義より全体主義が新しければ、共産主義を捨てて全体主義へ赴くのが良心的な行動である。民主主義がくれば民主主義に従うのが優等生にふさわしい進歩的な態度である」として、次から次に「転向」を繰り返してきた。それは「たえず新しさを求め、たえず新しくなろう」とする「勤勉」で「優等生」的な態度であり、そもそも日本の近代がそれに端を発していた。竹内いわく「攘夷論者はそのまま開国論者であった」。それに対して、「回心」は外から与えられたものの摂取ではない。「自己を保持すること」を通して「自己は変わる」ものであり、それゆえに「回心は抵抗に媒介される。[37]

こうした議論を、『ジャズ大名』のジャムセッションに投影するのは、やや深読みが過ぎるかもしれない。また、藩主らがジャズという「目新しさ」に飛びついている点も否めない。それでも、新たな曲や演奏法を次々に摂取するのではなく、延々と同じ曲に固執しながらテンポだけを変えていき、かつ、それに没入するなかで官軍や幕府軍のイデオロギーを拒絶するさまは、いささか飛躍があるにしても、竹内の議論を想起させる。むろん、岡本喜八が竹内の議論を下敷きにしたという回想は見当たらないが、竹内が中国戦線での戦場体験を有することを考えれば、どこかしら通じる

36—竹内好『日本とアジア』(ちくま学芸文庫)四七〜四八頁。
37—同上、四七頁・三二頁・四八頁。

ものを読み取ることも可能であろう。

その時々に「正しい」とされるイデオロギーに近づくことへの躊躇いは、岡本喜八の戦争映画だけではなく、他の作品にもしばしば見られた。裏を返せば、岡本の戦争体験とそれに根差した喜劇的な相対化は、戦争映画を含むさまざまな作品に染み渡っていたのである。

ちなみに、『ジャズ大名』のラストは、明治維新を迎えようとしているさなか、藩主から家老、家中の藩士・女中、菩提寺の住職に至るまで、我を忘れて「メープルリーフ・ラグ」の演奏に興じる場面で締めくくられる（図17）。そこでは、演奏中の音楽がフェードアウトして余韻を残す形で終わってもよさそうなものだが、実際にはそうではない。藩主が「イエーィ」と雄叫びをあげた場面がストップモーションとなり、音楽も唐突に途切れてしまう。気分的な高揚感に浸り、何かにずるずると引きずられることすら断ち切ろうとする意図を、汲み取ることができるかもしれない。

図17　ジャムセッションに興じる藩主たち
（『ジャズ大名』ロビーシート）

おわりに——戦中派にとっての喜劇

喜劇的なスタイルで「戦争」を描くことは、昨今の戦争映画ではあまり見られないだろう。さらに言えば、ポピュラー・カルチャー全般においても、それはあてはまるのではないだろうか。しかし、岡本喜八はつねに、「ぶざま」な体験をコミカルに描写することにこだわった。それは、岡本にとって戦争体験が軽いものであったからではなく、逆にそれがあまりに強烈だったがゆえであった。戦争体験は、「顕彰」のような心地よい物語に回収できるものでもなければ、やすやすと「不戦」を導くべきものでもなかった。「ぶざまさ」に根差した喜劇でもって、戦争をめぐる政治主義を相対化しようとしたのが、岡本の戦争映画であったし、そのスタンスは、戦争を直接的には扱わない『ジャズ大名』『ダイナマイトどんどん』などにも染み渡っていた。

安田武や橋川文三といった戦中派知識人は、戦争体験が政治主義に絡めとられたり、「顕彰」の心地よさに覆い隠されてしまうことを、つよく拒もうとした。[38] 折しも、彼らが多くをものした

38——福間良明『「戦争体験」の戦後史』(中公新書、二〇〇九年)参照。

一九六〇年代は、靖国国家護持運動と学生たちの政治運動が過熱していた時期であった。岡本喜八も、そうした時代を共有しながら、「ぶざまさ」と「フマジメさ」でもって、戦争体験をめぐる語りがたい情念を表現しようとしていたのである。

SATO Akinobu

佐藤彰宣

第3章

余計者にとっての「明治」と「民衆」

時代劇から問う近代日本

〈取り上げる作品〉
『赤毛』『吶喊』『斬る』

「赤毛を見ると虫唾が走る」

「走ったって仕方がねえだろう。世の中が変わるんでい」

「どう変わる？　葵が菊に変わる。ただそれだけじゃねえのかな」


（『赤毛』一九六九年）

はじめに——岡本喜八にとっての時代劇とは？

岡本喜八が一九八〇年に綴った「戦争映画と私」というエッセイがある。[1]その冒頭で、岡本はこれまで自らが手掛けた「戦争映画」を挙げている。
当然、日中戦争と太平洋戦争を描いた作品として、『独立愚連隊』（一九五九年）や『日本のいちばんの長い日』（一九六七年）、『肉弾』（一九六九年）などの代表作がそれにあたる。[2]
これら「先の戦争」そのものを描いた作品の他に、岡本が「戦争映画」として「加えておきたい」作品があるという。それが戦中派である岡本自身の心情を「吐露」した『江分利満氏の優雅な生活』（一九六三年）であり、そして『赤毛』（一九六九年）、『吶喊』（一九七五年）である。

興味深いのは、『赤毛』と『吶喊』の存在である。というのも『赤毛』と『吶喊』が、舞台としているのは、いずれも戊辰戦争が勃発した幕末の維新期なのである。もちろん戊辰戦争を扱っているのだから「戦争映画」であることには違いない。だが、日中戦争や太平洋戦争から半世紀以上も前の「戦争」を扱った作品は、他の「戦争映画」とは異質にも見える。一見すると時代劇だが、なぜ岡本は「戦争映画」としてこだわったのだろうか。[3]

岡本の映画作りの根底にあったのは、自らの戦争体験である。だとすれば、「痛烈なものがこび

1―岡本喜八「戦争映画と私」（『国づくりと研修』一九八〇年一二月号）三九～四〇頁。

2―その他、『独立愚連隊西へ』（一九六〇年）、『どぶ鼠作戦』（一九六二年）、『血と砂』（一九六五年）、『英霊たちの応援歌』（一九七九年）を挙げている。

3―映画作品とその監督の作家性、さらに同時代の受容を扱った研究は一定存在するが、「戦争の余波」との関連では、福間良明『「反戦」のメディア史』（二〇〇六年）、『殉国と反逆』（二〇〇七年）や與那覇潤『帝国の残影』（二〇一一年）などが挙げられる。ただし、時代劇に注目した研究は四方田犬彦『「七人の侍」と現代』（二〇一〇年）等に限られる。

りついていて、未だに離れない」という自らの戦争体験に基づく「戦中派」の情念と、戊辰戦争や幕末という時代設定はどのようなかかわりを持つのだろうか。[4]

本章では、岡本喜八が手掛けた時代劇を題材に、岡本がそこにどのような情念を込めたのかを明らかにしたい。同時に、岡本の時代劇が同時代に社会のなかで人々に何を思い起こさせたのかについても当時の映画評などから読み解く。とりわけ岡本が「『日本のいちばん長い日』、『肉弾』につながってくる作品」として位置づけた『赤毛』を通して、一九六〇年代後半の社会の様子を照らし返したい。[5]

1 戦争映画と並走する時代劇

代表作を手掛けた一九六〇年代後半

一九六七年、岡本は自身の代表作となる『日本のいちばん長い日』を手掛ける。政府首脳部によるポツダム宣言の受諾をめぐる会談の様子を中心に、戦争終結に反対する青年将校たちによる宮城事件などが同作では描かれた。『日本のいちばん長い日』は、岡本いわく「日本の中枢神経であった人たちの血と汗とナミダでつづられる」ドラマを映し出した作品であった。[6] その翌年の一九六八年に撮影されたのが『肉弾』である。戦争に翻弄される学徒兵の悲哀を喜劇調で描いた作品で、「〝日本のいちばん長い日〟で言いつくせなかった、欠けたと思える部分を無性に埋めたくなった」と岡本は語っている。[7] 一兵士だった自分の戦争体験を踏まえ、戦中派としての想いを吐露した、まさに岡本の戦争映画の象徴的な作品であろう。[8]

岡本喜八の戦争映画としては、これらの作品が『独立愚連隊』（一九五九年）やその後の『沖縄決戦』（一九七一年）と並んで代表作とされてきた。

以上のように岡本にとって一九六〇年代は、自身の代表作となるような「戦争映画」を手掛けた時期である。一方で、実はその間、時代劇も岡本は相次いで撮影していた。興味深いことに、『戦

4―岡本喜八「みじめな反芻と夢の献立」（『映画芸術』一九六六年四月号）二六頁。他にも岡本は「ささやかな戦争体験だったけど、私にとっては痛烈だったから」とも語っている（岡本喜八「戦争映画と私」『国づくりと研修』一九八〇年一二月号、三九頁）。

5―岡本喜八「顔と言葉――『赤毛』と『座頭市と用心棒』」（『キネマ旬報』一九六九年一〇月下旬号）一七頁。

6―岡本喜八「日本のいちばん長い日」（『キネマ旬報』一九六七年一月特別号）一四三頁。

7―岡本喜八「肉弾」（『キネマ旬報』一九六八年八月上旬号）六四頁。

国野郎』（一九六三年）、『侍』（一九六五年）、『大菩薩峠』（一九六六年）、『斬る』（一九六八年）、『赤毛』（一九六九年）、『座頭市と用心棒』（一九七〇年）など、およそ戦争映画と交互に、並走するような形で撮影された。ただこれらの岡本の時代劇は、『日本のいちばん長い日』や『肉弾』などの戦争映画に比して、映画史においてはほとんど言及されてこなかった。

戦時期を想起させる時代劇

だが見逃せないのは、これらの時代劇作品が、単に撮影時期が重なるだけでなく、内容的にも決して戦争映画とは無関係ではない点にある。むしろ岡本にとって時代劇と戦争映画は密接な関係にあったといえよう。

例えば『日本のいちばん長い日』の次に手掛けた『斬る』では、江戸末期に圧政に苦しむ町のなかで、「民衆のために」と立ち上がった青年武士たちが、ストーリーの重要な役回りを演じている。青年武士たちは圧政を敷く城代家老を打ち倒すが、その後、権力の座を狙う次席家老の策略で「逆賊」とされ、砦山に籠城する。そこに仲代達矢と高橋悦司が演じるふたりの浪人が現れ、一方は権勢に翻弄された過去の「苦い体験」をもとに青年武士の側にシンパシーを寄せ、もう片方は「百姓上がり」で出世のために次席家老の側へ付き、それぞれ「助太刀」として戦場のなかで相まみえる。

だが、幕府に通達されることを恐れた次席家老は自らが派遣した討手さえも「捨て駒」とし、浪人たちの抗争に仕立て上げようとした。そして銃弾が飛び交い、互いに斬り斬られる戦場のなかでは、もはや「敵」と「味方」の区別すらままならなくなる。そうした錯綜ぶりを喜劇的に映し出しているところが、この作品のテーマである[9]（図1・2）。

この『斬る』のなかで描かれている青年武士の姿は、あたかも『日本のいちばん長い日』で描か

8―岡本は「僕の場合、戦争を正面からとらえることはできなかった。自分自身の体験としてある戦争を、第三者の立場からとらえきれるほど、僕は客観的な眼を、戦争に関する限りもち合わせていないからだ。むしろ、僕自身のなかにある恐怖と飢餓の実体験を描くことでしかとらえることができないと思った。「独立愚連隊」「肉弾」の主人公は、やっぱり僕自身であったし、そうすることによって戦争と僕の関わりのすべてが表現できたと思っている」と述べている（岡本喜八「わが挑戦　人生〝切り株〟でも歩けるさ」『近代中小企業』一九八〇年五月号、三三頁）。

9―岡本自身、後年に『日本のいちばん長い日』や『侍』、『大菩薩峠』と「笑い」のない作品を相次いで作ったなかで「フラストレーションがたまったから、じゃあおかしいやつやろうっていうんで、原作はわりと陰気な話だけどお笑いにしたのが「斬る」ですね」と回想している」（「特別対談　山藤章二・岡本喜八：我らが東宝映画、東宝喜劇」『キネマ旬報』一九八九年七月上旬号、二五頁）。

図1　『斬る』ポスター　© TOHO CO., LTD.

図2　『侍』ポスター　© TOHO CO., LTD.

れた青年将校たちの姿を想起させる。それは、自らの信ずる大義のために血気に逸り、政争に翻弄されていく「純粋な青年」像である。決起という点では、『侍』でも題材として取り上げられているのは、桜田門外の変、すなわち安政の大獄後の水戸藩士らによるクーデターであった[10]。宮城事件の青年将校像にみられる「正義」への純粋さ、あるいは「変革」への陶酔という側面でも、それらの姿は酷似している。

物語の設定だけでなく、一九六〇年代のこの時期に撮られた岡本の時代劇で目を引くのは、斬られる側の描写である。通常の時代劇であれば、刀を交えた殺陣（タテ）のシーンで斬られ役は、斬られた際にすぐ画面外へと消える。それに対して、岡本の時代劇における殺陣の場面では、しばしば斬られた側の悲鳴や血しぶきに注目し、岡本自身の戦争映画における銃弾を負った兵士と同じように「痛み」を強調して描いた。そこにも岡本の戦争体験が深く関わっていた。

天長節、四月二十九日に疎開したばかりの豊橋予備士官学校の校庭に、エンジンを止めて隠密に侵入してきたB29が二百五十キロ爆弾を一発だけ落としていった。そのわずか二三十メートルの器械庫で折畳舟の整理整頓をやっていた私の分隊はモロに吹っとばされて仕舞った。気がついたときには、私は地獄の惨状のど真ン中にいた。三尺後の戦友はケイ動脈を破片で斬ら

れて椿三十郎の如く血を噴き出していた。[11]（強調は原文ママ）

「この目で見た椿三十郎の噴血」というように、岡本は自分の見た光景を黒澤明の時代劇作品『椿三十郎』（一九六二年）になぞらえて、「鮮烈に私の中にこびりついている」と語る。[12] 岡本が戦時期に眼前でみた光景を、当時岡本が手掛けた時代劇の描写のなかにもうかがうことができる。

このように戦争映画と並走するなかで撮影された岡本の時代劇のなかには、戦時期の姿を想起させるシーンや暗示する設定がいくつも散りばめられている。そのなかで注目したいのは、戦国時代を扱った『戦国野郎』を除いて、[13] いずれの時代劇作品においても舞台とされているのが、江戸末期から戊辰戦争の、いわゆる「幕末」や「明治」である点にある。[14]

10―『侍』では、三船敏郎演じる腕は立つが、うだつのあがらない浪人が出世のために、クーデターを画策するグループへ加入する。しかし、実はその浪人は井伊直弼の隠し子であり、それを知らぬまま桜田門外の変が起こってしまうという皮肉的な結末を迎える。

11―岡本喜八「みじめな反芻と夢の献立」（『映画芸術』一九六六年四月号）二七頁。

12―同上。

2 〝幕末から終戦へ〟の連続性

あの戦争を見つめた先に

岡本はなぜ「幕末」や「明治」に関心を寄せるのか。その理由は、『赤毛』（一九六九年）の制作にあたって明瞭に示されることになる（図3）。同作品で取り上げられたのは、戊辰戦争時に「悲劇の主役」として扱われる赤報隊であった。

赤報隊は幕末の戊辰戦争時、新政府軍の先鋒隊として隊長・相楽総三を中心に結成された。王政復古による世直しの象徴として錦の御旗を掲げながら、赤報隊は年貢の半減などを約束し民衆を味方につけて東海道を進軍していく。だが、資金難に苦しむ新政府軍は年貢半減などの約束を反故にするため、赤報隊に「偽官軍」の汚名を着せ、結局相楽たちは処刑されてしまう。

岡本が直接赤報隊に関心を持つきっかけとなったのは、当時の岡本作品に多く出演していた俳優・高橋悦司からの提案であった。「高橋悦司君から「赤報隊の相楽総三の話を映画にしませんか」といわれた時、民衆にいちばん密接した形で維新の火をつけた、赤報隊という存在に、大へんひかれました」と岡本は語っている。[15]『赤毛』では、岡本いわく「相楽総三ではいささか偉すぎて」しまうということで、[16] 赤報隊に所属する百姓上がりの隊士・権三（三船敏郎）というキャラクターを作り主人公にした。権三は、赤報隊の先駆けとして凱旋した自らの出身村・沢渡で、王政復古による世直しを掲げて、代官の圧政に苦しむ民衆たちを救う。だが、代官側の用心棒・半蔵（高橋悦司）や、幕府の密偵である遊撃一番隊との攻防を繰り広げるなかで、最後は官軍側に裏切られ

13―『戦国野郎』について岡本は「西部劇への思慕の現われだった」と語り、『独立愚連隊』のシリーズに位置づけている（岡本喜八「西部に足を向けて寝られない」『映画の美〈増刊いんなあとりっぷ一月号〉』いんなあとりっぷ社、一九七六年、二四五頁）。

14―一例として『大菩薩峠』を撮影するにあたって岡本は制作意図として以下のように述べている。「私は幕末という時代が好きだ。そして、その時代に生きた机竜之助という変な男が好きだ」とし、「幕末は現代の合せ鏡、竜之助は現代人の合せ鏡」であるという。「死はつねに彼につきまとい、彼はつねに死をみつめる。みつめながら人を斬る」。「彼の魅力はその怪しげなフンイキはとも角、その抵抗精神にある」といい、「古めかしいものへはことごとく抵抗を示す。そこらあたりで我々と竜之助との間にも血が通いそうな気がする」（岡本喜八「大菩薩峠」『キネマ旬報』一九六五年一〇月下旬号、七四頁）。

15―岡本喜八「顔と言葉――『赤毛』と『座頭市と用心棒』」（『キネマ旬報』一九六九年一〇月下旬号）一七頁。

16―同上。

図3　『赤毛』ポスター　© TOHO CO., LTD.

ていく姿が描かれている（図4）。
岡本が同作の制作にあたって強調したのは、『赤毛』がまさに『日本のいちばん長い日』や『肉弾』に連なる作品であるということであった。岡本は『赤毛』の制作意図について、撮影当時以下のように述べている。

〝日本のいちばん長い日〟を撮った時に、泥縄式ながら終戦史を噛り始めたら、ついつい維新史まで遡って仕舞った。と言うことは、日本のあのような終戦も開戦も、少なくとも維新の頃からほじくり返さないと、正確には理解し得ないという事ではなかろうか？[17]

『日本のいちばん長い日』を担当するにあたって、岡本は制作の準備期間に下調べとして、太平洋

17―岡本喜八「合せカガミに」（『キネマ旬報』一九六九年五月上旬号）一〇三頁。岡本は別の機会にも「太平洋戦争は、なぜはじまり、なぜあのような状態の終戦を迎えたのか。それは、ほじくりかえしていくと、結局、明治維新にまでさかのぼってくるのではないか、という気がするのです」と述べている（岡本喜八「顔と言葉――『赤毛』と『座頭市と用心棒』」『キネマ旬報』一九六九年一〇月下旬号、一七頁）。

図4　『赤毛』撮影時の高橋悦司・岡本喜八・三船敏郎（左から）　© TOHO CO., LTD.

戦争の原因を探るために過去を遡っていった。『赤毛』の問題意識は、あの戦争を見つめた先で生まれたものであった。そして岡本はあの戦争を見つめた先に、その起源を幕末の戊辰戦争および明治維新に見出すのである。

明治維新政府のスタートは、そもそも岩倉具視が錦旗と宮様をいただいて、薩長連合勢力を強力な権威としたところからはじまっています。これはちょうど、終戦工作に猛反対した日本陸軍が、連隊旗と、参謀や連隊長にいただいた宮様を、強力な権威の象徴としていた構造に、つながってきます。[18]

岡本は、天皇制に基づく権威主義的な国家体制成立の契機として、戊辰戦争から明治維新へと至る経緯を見ていた。「連隊旗」や天皇の権威を笠に着て暴走する帝国陸軍の根源は、「錦の御旗」が権威の象徴として機能する日本の権力構造にあると岡本は感じていた。[19]

岡本は、アジア太平洋戦争に連なる、天皇を担いで天皇の権威のもとで行われた「戦争」として戊辰戦争を描いたのである。

「大義」に翻弄された余計者

アジア太平洋戦争の根源を「幕末」・「明治」に見出した岡本は、『赤毛』のなかにも先に述べた他の時代劇作品と同様に、あるいはより如実に戦時期を思わせるシーンを盛り込んでいる。

主人公・権三の出身村では、かねてより代官（伊藤雄之助）の圧政に苦しんでいた。権三が到着すると、村の青少年たちは圧政に堪えかねて、代官所襲撃へと躍起になっていた。先述した『斬る』や『侍』など他の時代劇と同様に、ここでも義憤にかられて血気に逸る「純粋な若者」像が描かれている。その姿は『日本のいちばん長い日』にて登場する、終戦に反対しクーデターをもくろむ横浜警備隊と通じるものがあると指摘される。[20]

18―岡本喜八「顔と言葉――『赤毛』と『座頭市と用心棒』」（『キネマ旬報』一九六九年一〇月下旬号）一七頁。

19―岡本は明治維新によって生み出された権力機構が、太平洋戦争へとつながったという内容を他でも繰り返し説いている。例えば「薩長を母体とした陸軍は、七十余年後の終戦の日までに、何にもまして強大な力にふくれ上がっていたし、鳥羽伏見での錦旗と皇族を正面に押し出した演出は、以后皇軍の名の下に八月十五日まで連綿とつづいたのである」と述べている（岡本喜八「黒いゲリラ仙台からす組への執心」『歴史読本』一九七二年四月号、七六頁）。

一方で権三をはじめとした村の青少年たちは、作中のなかで「草莽の士」として位置づけられている。「草莽とは名もない草」と作中でも語られているが、岡本自身は「草莽の士」について「民衆に最も密着していた」存在だったと説く。[21]「草莽」としての一兵士像は、岡本自身の等身大の戦争体験を仮託した『肉弾』の主人公「あいつ」をはじめ、[22]岡本が戦争映画のなかでこだわった「戦場で右往左往する一兵士の視点」とも重なる。作家の長部日出雄は、岡本喜八映画の特徴を踏まえ、『赤毛』における「草莽の士」の意味を以下のように読み解いている。

岡本喜八の映画は（「日本の一番長い日」をほとんど唯一の例外として）、余計者、日本のアウトサイダー、浪人、無名のプロフェッショナル、忘れ去られる……者つまり草莽の士を描いている。初期の傑作「独立愚連隊」、彼の浪人学の集大成であった秀作「侍」、そして彼が自分の体質と生理、思想のすべてをたたきこんだと思われる「肉弾」にいたるまで彼の作品の大半を貫いているものは、この余計者に対する執着である。

「日本の一番長い日」においても、もっとも印象的だったのは、並みいる重臣たちではなく、昆虫のように動き回る草莽の兵隊の姿であった。

その彼が、草莽の士を主体にした信州の赤報隊に着目したのは、しごく当然の経緯であったといっていい。彼の考えによれば、草莽の士とはおそらく、だれよりも信じていたがために、かえって信じていた者に裏切られる者の謂に違いないと思われる。[23]

時代劇であれ戦争映画であれ、岡本の作品の根底には「余計者に対する執着」があった。岡本も『赤毛』と同時期に手掛けた『座頭市と用心棒』の狙いを紹介するにあたって、自身の他の作品と関連付けながら以下のように述べている。

「座頭市と用心棒」は、いわば「侍」と同じに、武家社会からはみ出した、二人の男の話です。座頭市は、身分制度のやかましいメクラ座頭の世界から飛び出して、博奕うちの世界で一匹狼になっている男。かたや用心棒も、侍の世界をはみ出した奴です。

20—木全公彦「赤毛」(『赤毛』DVDパッケージ付属の解説書)。
21—岡本喜八「黒いゲリラ仙台からす組への執心」(『歴史読本一九七二年四月号』)七六頁。
22—山根貞男「雑草と映画的リズムの行方」(『kihachi フォービートのアルチザン』東宝出版)三二頁。
23—長部日出雄「余計者と大義」(『映画芸術』一九六九年一一月号)五六頁。

この、はみ出し者二人が、自由に動きまわりながら、世間を見ていく、その同じ眼の位置に、私のキャメラも、置きたいものだと思います。

私の好きな「独立愚連隊」も連中も、はみ出し者ですし、時代劇を撮るからといって、別に、いつもの私と違うことをやるわけではありません。[24]

岡本の視点は、『独立愚連隊』から時代劇に至るまで、常に「はみ出し者の位置」にあった。『赤毛』においても、はみ出し者、余計者としての「草莽の士」が「裏切られる」様子が描かれている。では、余計者が裏切られる物語から何を読み取ればよいのか、長部は次のように指摘する。

赤報隊の悲劇は、〃大義〃を信じこみすぎたところから生まれている。それでは〃大義〃とは一体何なのか、というのが、「独立愚連隊」以来、一貫している戦中派岡本喜八の問いだ。[25]

草莽の士が「大義」を信じこみ、余計者として「大義」に裏切られていく姿を映し出すことによって、岡本は「大義」とは何かを問いかけるのである。作中で赤報隊が官軍に裏切られるシーンで皮肉的に映し出される錦の御旗については、長部も「『赤毛』でもその疑問は、たとえば錦の御

旗の大写などに暗示されている」と指摘する。[26] 新政府軍が説く天皇を担いだ世直しの「大義」を信じて、「錦の御旗」を掲げた権三たち草莽の士は、その「大義」に翻弄され、やがて「大義」によって偽官軍の名を着せられ、余計者として切り捨てられていった。[27]

時代劇にしろ、戦争映画にしろ、この時期に撮影をされた岡本のいずれの作品にも共通するのは、「大義」に翻弄され、裏切られていく余計者の悲喜劇である。[28]

戦中派の「黙っていられない肚立しさ」

岡本の時代劇における余計者への執着は、戦中派の情念と密接に交錯するものであった。長部日出雄は以下のように指摘する。

24—岡本喜八「顔と言葉——『赤毛』と『座頭市と用心棒』」(『キネマ旬報』一九六九年一〇月下旬号)一七頁。

25—長部日出雄「余計者と大義」(『映画芸術』一九六九年一一月号)五六頁。

26—同上、五七頁。もっとも長部は同作を「個々の人間に対する批評は働いているものの、それが歴史と政治に対する批評まで高まっているとはいいがたい」と批判している。

戦中派には、戦中派＝余計者という意識があるのではないか。戦前派のように古い価値を信ずることもできず、戦後派のように新しい価値に簡単に飛びつくこともできない。そこから、戦中派の孤立したアウトサイダーの意識が生れる。[29]

岡本の作品の通奏低音となっていたのは、「戦中派の孤立したアウトサイダーという意識」であった。その意識を「幕末」や「明治」に投影した作品群こそ、岡本にとっての時代劇であったといえよう。『江分利満氏の優雅な生活』や『肉弾』でも活写されたように、人々が戦争を忘れて明るさを取り戻していく高度成長期のなかで、岡本たち戦中派は余計者としての「孤立」を深めていった。岡本と同じ戦中派の批評家・安田武は、一九六八年当時『肉弾』を見た感想として以下のように述べている。

27 ―「大義」としての天皇制や国家を相対化する視座は、権三の言葉のなかにも散りばめられている。『赤毛』のなかで、権三は村に潜入した幕府側の遊撃一番隊に「あなたの大将は誰か」と問いかけられる。赤報隊隊長・相楽総三、東山道軍参謀・荒垣弥一郎ら思い当たる名を答える権三だが、さらに「その上は」と問い詰められるなかで、最終的には「なんだか御簾の中でモヤっとしている」と述べる。草莽の士としての彼らが抱く「御簾の中でモヤっとしている」イメージこそ、国家であり、天皇であったのである。そこには、個人の存在と天皇や国家のあり方がかけ離れた様子が象徴的に示されている。

岡本が描く余計者としての草莽の士は、『赤毛』の権三のみならず、『肉弾』のあいつにしても、「御簾の中でモヤっとしている」なかで気付かぬうちに国家や官軍といった権勢を振るうものに翻弄され、裏切られていくのであった。評論家の矢島翠は『肉弾』を評するなかで「日本帝国主義、天皇制国家主義、といったぐあいに対象をはっきりと規定し、怒りを集中し得た人は、ごく一部のインテリに限られていただろう。『江分利満氏の優雅な生活』において戦中派の「江分利が「白髪の老人はゆるせない」と怒りの対象を明確化できたのも、敗戦後少したってからのことだと思われる」と指摘している（矢島翠「戦争映画と「死ねるぞ」の思想——岡本喜八「肉弾」をめぐって」『映画評論』一九六八年一二月号、三八頁）。

江分利が「許せない」と怒りを込めた「青年たちを美しい言葉で、若者たちを誘惑した白髪」とは、『赤毛』においては文字通り白髪を飾る東山道軍であり、決起を促し結果的に多くの若者たちを死に追いやった知識人であるとも解釈できる。『赤毛』のなかでは、「西洋＝近代」思想に最も通じていた知識人像としての医者（天本英世）も登場する。青少年たちに「維新」の必要性を平時においては説きながら、「理論と現実が食い違う。ままあることだ」というセリフのように、いざとなると自らはたじろぐ知識人の姿が顕著に描かれている。

また「大義」に翻弄され「余計者」として切り捨てられていく存在は、沖縄戦という問題系にも通じる。『赤毛』において官軍に切り捨てられた赤報隊の姿は、『沖縄決戦』における本土の大本営から見捨てられた沖縄の陸軍第三二軍にも重ねられよう。

昭和四十三年盛夏の風景に、黙っていられない肚立しさを感ずる。憤りをおぼえる。絶望的な怒りの感情には、昭和二十年盛夏、自分たちと一緒にまだ生きていた仲間たちの「不在」が、やりきれない憤懣となって拡がってゆく。暗黒で空洞のような不在感が、心のなかでうづくのだ。[30]

岡本がこだわった余計者には、死を覚悟した戦争で次々と仲間が死んでいくなかで、自分だけが生き残ってしまったという含意がある。[31]自分だけが生き残った「恥ずかしさ」と仲間たちの「不在」が絡まり合う戦争体験こそが、戦中派世代を戦後社会のなかで余計者として「孤立」させていった。その「恥ずかしい思いに居ても立っても居られない」からこそ同世代の評論家・虫明亜呂無もいうように、戦中派にとって「語りたいことは幾らでもあるような気がする。語っても語っても恨みはつきないように思われる」のであった。[32]

『昭和元禄』などといわれる繁栄」の時期に、[33]『赤毛』をはじめとした「余計者」を主題とした時代劇が、戦争映画と並走して撮られたことは決して偶然ではない。余計者として孤立する戦中派の「黙っていられない肚立しさ」と「語っても語ってもつきない恨み」が、岡本に先の戦争を投影した時代劇を撮らせたといえよう。

28―岡本が描き出そうとする余計者の悲喜劇が持つ効用について、佐藤忠男は『助太刀屋助六』（二〇〇一年）を論じながら、岡本喜八の作品に「共通するのは、言うなれば〈道化の正義〉とでもいった倫理感かも知れない。あるいは、〈負けるが勝ち〉の論理である。不正と不条理が圧倒的な現実の中では、正しい者は常に弱者であり、逃げまわる者である。この状況に反抗するのは怖いもの知らずの道化であり、彼らは現実には決して勝てないが、ただ道化であることに誇りを持つことはできるし、その滑稽さを自分で笑って楽しむことさえできる。もちろんその笑いはかなり屈折したものである」と述べている（佐藤忠男「道化の正義、負けるが勝ち――「助太刀屋助六」と岡本喜八論」『キネマ旬報』二〇〇二年二月上旬号、一四一頁）。

29―長部日出雄「岡本喜八　日本の映画作家6」（『映画評論』一九六五年三月号）六八頁。長部はさらに以下のように、岡本にとっての「余計者」へのこだわりと政治性への関係について指摘する。「『独立愚連隊』当時、彼はアウトサイダー＝自由人という等式を信じていた。だが、『江分利満氏の優雅な生活』で、生活という因数を導入した時、その等式は崩壊した。そして、生活という因数を導入してなおかつその等式を成立させる方法を求めて、岡本喜八はこれまで忌避してきた政治の中に足をふみ上れた。それが『侍』である。私は、政治を忌避してきたアウトサイダーが、アウトサイダー＝自由人という等式を信じたいために、止むなく政治へ足をふみいれた過程に、岡本喜八の作家精神を見る。『独立愚連隊』―『江分利満氏の優雅な生活』―『侍』の延長線上に、彼が今後の作品をおくとすれば、その作業はこれまでとは比較にならない程困難になるであろう」（七三頁）。

他方で『赤毛』をはじめとした岡本の時代劇は、黒澤明の『七人の侍』(一九五四年)などの時代劇と対比することができる。というのも、そもそも岡本の時代劇は、黒澤の時代劇映画である『用心棒』(一九六一年)などと重ねて論じられる向きがある。[34] 例えば『斬る』についての評価のなかでは、以下のように指摘されている。

黒澤時代劇との対比

空っ風の吹きすさぶ上州のさびれた宿場町に一人の浪人が飄然と現れた——というファースト・シーンは黒沢明監督の「用心棒」を思い出させる。このファースト・シーンで岡本喜八、演出はまず二人の主人公を手ぎわよく紹介してみせる。画調は似ているが二人の扱い方が、コミカルで黒沢調とは違う味わいを出しているのはさすがである。

侍くずれのやくざと、百姓出身の浪人。この二人の主人公が示すコッケイ味が、画面にアクセントをつけ、それが殺伐な内容を明るく痛快なものにしている。そういう作り方は、本場西部劇に、似ていると思う。黒沢ほどの風格と重量感はないが、大へん軽妙なタッチであり、〝喜八節〟とでもいおうか。[35]

先述したように『斬る』の設定は、権力者の策謀に嵌められた若侍たちを浪人が助太刀するという構図であるが、黒澤の『椿三十郎』（一九六二年）の設定とも重なる。そもそも『斬る』と『椿

30—安田武「学徒出陣はどう現代にかかわるのか——映画「肉弾」について」（『映画芸術』一九六八年一二月号）五四頁。
31—岡本喜八「みじめな反芻と夢の献立」（『映画芸術』一九六六年四月号）二七頁。
32—虫明亜呂無「誘惑への回帰」（『映画評論』一九六四年一月号）四三頁。
33—安田武「学徒出陣はどう現代にかかわるのか——映画「肉弾」について」（『映画芸術』一九六八年一二月号）五四頁。
34—一九七六年一一月にアメリカで開催された「キハチ・オカモト・フェスティバル」へ参加した際、岡本自身「クロサワ時代劇のファンは多いけど、オカモト時代劇のファンもちゃんと居る」ことに驚いたと綴っている（岡本喜八「黒メガネのアメリカ映画旅行右往左往記」『キネマ旬報』一九七六年一二月号、九九頁）。
35—深沢哲也「斬る」（『キネマ旬報』一九六八年八月号上旬）六一頁。

三十郎』、両作品とも原作は山本周五郎のものであった（前者が『砦山の十七日』、後者が『日日平安』）。また『用心棒』や『椿三十郎』などの黒澤時代劇で殺陣を担当した久世竜が、『侍』から『大菩薩峠』、『斬る』、『赤毛』に至るまでの岡本時代劇でも殺陣を務めるなど、岡本時代劇と黒澤時代劇の共通項は少なくない。[36]

第一章（山本昭宏）でも詳述されているように岡本は、一九四三年に東宝に入社し、助監督として一定の下積み経験を持つ。助監督時代に黒澤から撮影に誘われることもあったが、別の監督作品の撮影に入っていたことからタイミングが合わず、直接黒澤作品に参加したことはない。[37]とはいえ、岡本は東宝に身を置くなかで、黒澤の監督としてのスタンスや脚本の書き方についての逸話を耳にしていた。「私の尻をひっぱたいたのは、同じく黒沢監督のコトバである」と語るように、岡本自身にとって黒澤は常に意識する存在であった。[38]

『赤毛』においても、三船敏郎演じる主人公・権三のキャラクターは、百姓上がりの設定など含め『七人の侍』で同じく三船が演じた菊千代を想起させる存在である。実際、岡本自身も権三の人物設定について「菊千代的な性格で、年の割にはかなりおっちょこちょい」と、菊千代をイメージしていたと述べている[39]（図5）。

「ええじゃないかのエネルギー」への焦点化

権三と菊千代のキャラクターが重なるように、『赤毛』のなかで描かれる民衆像もまた『七人の侍』でのそれを思い起こさせるものである。とりわけ『赤毛』の物語序盤では、代官の圧政によって極貧生活にあえぐ村の農民たちが、諦観し捨て鉢的になる様子が一貫して描かれる。「御一新」を象徴する「赤毛」をなびかせた権三の到来によって民衆たちは「解放」されていくの

36―『用心棒』や『椿三十郎』など黒澤作品で多くの撮影を務めた斎藤孝雄も、『赤毛』の撮影を担った。

37―一方で岡本が助監督時代に直接かかわった監督として、岡本自身は成瀬巳喜男、谷口千吉、マキノ雅弘を挙げ、「夫々に「先生」と呼ぶと嫌がる方たちばっかりだが、私はハラの中では師匠たちと思っている」と述べている（岡本喜八「もつべきものは良き先輩」『潮』一九六九年四月号、二三六頁）。

38―同上。具体的な「黒澤監督のコトバ」としては、「一日一枚でも良いよ、一年書けば三百六十五枚のシナリオが出来ちゃうよ」というシナリオの作り方などを挙げている（二三六頁）。また黒澤の追悼特集となった一九九八年の『キネマ旬報』でも、岡本は「脚で稼いで、ホンを書け」という黒澤から教わった映画監督としてのあり方を述べた追悼文を寄せている（岡本喜八「脚で稼いで、ホンを書け」『キネマ旬報』一九九八年一〇月下旬号、六五頁）。

39―『kihachi フォービートのアルチザン』（東宝出版事業部）一八一頁。

図5　『七人の侍』菊千代のキャラクター像と相似する権三　© TOHO CO., LTD.

だが、ただしそのプロセスにおいても、大多数の民衆はあくまで野次馬的な参加に過ぎなかった。旧来的な村の変革は、決して民衆の主体的な運動によって行われたものではなく、権三が撒いた皇太神宮の札によって達成された、あくまで「天降る贈り物」としての革命であった（図６）。

例えば、権三が幕府軍の策略で毛無山へ連れ出された隙に、代官が逆襲した際にも村民は戦闘には加わろうとせず、傍観するのみだった。その様子を見かねた権三に付き従う三次（寺田農）は、「やいやいやじ馬、のんびり見てねえでちったあ手伝ったらどうだい。手前らのためにやってんだぞ」と民衆たちを罵った。

ここで思い出されるのは、『七人の侍』で侍の主将であった島田勘衛兵（志村喬）が、戦闘から逃れようとする農民に向かって一喝した、「おのれの事ばかり考える奴は、おのれをも亡ぼす奴だ」という台詞である。『七人の侍』で描かれる農民たちの姿は、野武士からの度重なる襲撃で疲弊し、被害者として受動的で陰鬱となりながら、それでいて負傷し追い込まれた野武士には集団で追い剥ぎを行ってしまうような独善性を特徴とした。小熊英二は、『七人の侍』の民衆像について「飢餓と貧困に突き落とされ」、「虚偽と保身、無責任と頽廃、面従腹背の裏にあったエゴイズムの蔓延」した戦時中および戦後初期（焼け跡闇市）の社会状況のアナロジーであると指摘する。[40]『赤毛』の批評においても、『七人の侍』と酷似した民衆像が指摘されている。

権三にふと不安を覚えさせるのは、むしろ彼の仲間であるべき底辺の百姓たちの執拗な疑惑であり、いつも疑惑に閉じこめられている生活の暗さである。[41]

こうした民衆たちの「いつも疑惑に閉じ込められている生活の暗さ」、その結果としての社会や政治への諦観は、作中のなかで「葵が菊に変わっただけ」という言葉に象徴的に示されている。岡本自身も「明治維新は決して革命なんぞではなく、葵が菊に変っただけ、言い方を変えれば、徳川幕府が雄藩薩長の新政府に変っただけ、といった感じがある」と述べている。[42]『赤毛』のなかで「無定見な官吏[43]」として描かれる代官の姿は、それを如実に示している。代官は

40―小熊英二『〈民主〉と〈愛国〉』(新曜社、二〇〇二年) 六三〜六四頁。

41―押川義行「赤毛」(『キネマ旬報』一九六九年一一月上旬号) 六九頁。

42―岡本喜八「黒いゲリラの群れ」(『歴史読本』一九八〇年一月号) 一一一頁。ただし、岡本は続けて「エエジャナイカ運動に現われたように、一般民衆にとってみれば、〈世の中が変って欲しい〉という気持を皆が持っていた時期でもあったので、仮に〈革命〉であったと考えると、赤報隊は、革命軍のサキガケで、からす組は、反革命軍のサキガケである」とも述べている(一一一頁)。

図6　皇太神宮の札を撒く権三　© TOHO CO., LTD.

当初こそ自らの地位を守るために幕府側の遊撃一番隊と内通し、その指示に従う。しかし、やがて官軍が迫り幕府側の立場が劣勢になるとみるや、一転してすぐに官軍側へ寝返ろうとするのであった（図7）。

こうした姿は、敗戦を契機に「「鬼畜米英」から「民主主義」礼賛へと衣替えした」為政者像としても見ることができるが[44]、江戸幕府から明治政府、さらに大日本帝国へと権力構造が温存されていく状況への風刺としても読み取ることができる。

しかしながら、岡本の時代劇を黒澤時代劇と対比させたときに、最終的に描かれる民衆の姿はやや異なっている。『七人の侍』では、常に指導者の啓蒙によって救われる受動的な姿とともに、「勝ったのは我々ではなく、百姓たちだ」というセリフにもあるように、被害者的立場を逆手にとって指導者を利用する民衆の狡猾さが描かれる。それに対して、『赤毛』の特にラストシーンにおいて強調されているのは、民衆の主体的な姿として岡本がいうところの「ええじゃないかのエネルギー」であった[45]。

岡本の時代劇と黒澤の時代劇には共通する部分が多くありながらも、民衆の描き方について異なるニュアンスが見て取れる要因には、両者の思想的な背景も少なからず関わっているだろう。黒澤がしばしばシェイクスピアなどの古典的な西欧戯曲にヒューマニズムや啓蒙のヒントを求めたのに対して、岡本は大衆娯楽としての西部劇や、末端兵だった自らの戦争体験に根差して民衆像を編んでいった。娯楽としてエンターテイメント性に満ちた物語の中に、権力に翻弄される人々の悲哀を共感的に描き出す。ここに『赤毛』のラストシーンで「ええじゃないか」と踊る民衆の姿が強調される由来をうかがうことができる。

4 「政治の季節」の投影

民衆像をめぐって

『赤毛』の公開当時の批評のなかでも特に注目されたのは、民衆による「ええじゃないかのエネルギー」であった。『赤毛』のラストシーンでは、それまで受動的で消極的だった民衆が、「草莽の

43—品田雄吉「赤毛——常に変らぬ民衆のエネルギー」(『キネマ旬報』一九六九年一〇月下旬号)六一頁。
44—小熊英二『〈民主〉と〈愛国〉』(新曜社、二〇〇二年)六三頁。
45—岡本喜八「合せカガミに」(『キネマ旬報』一九六九年五月上旬号)一〇三頁。

図7　官軍に寝返ろうとする代官　© TOHO CO., LTD.

士」として村の圧政を変革した権三の姿に喚起される構図となっている。官軍の裏切りによって権三が殺されたことをきっかけに、人々は半狂乱で「ええじゃないか」と踊りながら、新政府軍を押し返していく（図8）。

議論の的となったのも、作品の中での民衆像であった。映画評論家の品田雄吉は『キネマ旬報』に、『赤毛』における民衆の描き方を以下のように批判している。

この映画は、つまり、権力機構が変わっても、民衆の立場はまったくかわらない、という図式を堅示（ママ）している。この図式が、はたしてこんにちの状況にも当てはまるかどうかには疑問があると思う。被害者である民衆が、一般的につねに無邪気にだまされやすく、支配者がわが、悪人タイプになっているのも、いささか単純ではないかと思われる。民衆の抑圧されたエネルギーが、〝ええじゃないか踊り〟というファナティックな形で爆発するエピローグに、ドラマはもっと緊密なつながりと凝縮が必要だったのではないかと思う。[46]

先でも確認したが、たしかに品田が指摘するように『赤毛』で描かれる民衆たちは、ラストシーンに至るまでほとんど一貫して消極的で受動的な「被害者」として描かれている。品田はこうした

「つねに無邪気にだまされやす」い民衆の描き方の「単純さ」を批判するとともに、「民衆の抑圧されたエネルギー」が爆発するエピローグへの「つながりと凝縮」が欠ける点を批判した。

安保闘争を読み込む観客

このように「ええじゃないか」を踊る民衆の「エネルギー」が強く読み込まれ、議論の争点となった背景には、「政治の季節」といわれた一九六〇年代当時の社会情勢が関わっていた。『毎日新聞』の映画時評においては、先の品田とは対照的に同作品で描かれる主体的な民衆像を評価し、安保闘争などの社会運動の高揚を読み込んでいる。

「赤毛」は戦後の解放の意味をたしかめ、安保条約をその裏切りとする思想に立つ映画だろう。村を世直ししたアカ毛の権三を同じ官軍のシロ毛隊が殺すとき、日和見だった村民が激怒して立ち上がった。特徴的なのは、ほとんどそのまま劇画のスタイルであることだ。ドタバタ喜劇

46—品田雄吉「赤毛——常に変らぬ民衆のエネルギー」(『キネマ旬報』一九六九年一〇月下旬号)六一頁。

図8　新政府軍を押し返す「ええじゃないか」の踊り　© TOHO CO., LTD.

――の範囲ではおさまらない形式で（中略）最近の活力ある映画の一傾向を示すものである。[47]

ここからも分かる通り、ラストシーンは、安保闘争の文脈で読み込まれる余地があった。権三の死をきっかけに「日和だった村民が激怒し立ち上がった」シーンは、六〇年安保の際に樺美智子の死に激怒し立ち上がる市民の姿を見ている者に思い起こさせたのである。[48]たしかにストーリーの構図としても、かねてからの「逆コース」や岸信介政府による強行採決を官軍の「裏切り」と重ね、赤報隊という「革新」を具現化する前衛的な「指導者」と、生活向上のため「世直し」を願う「大衆」との結合として見ることもできる。

そして「民衆エネルギー」の象徴として、ラストシーンで沸騰するのが「ええじゃないか踊り」の行進であった。仙波輝之は『映画芸術』のなかで、まさに「ええじゃないか踊り」に安保闘争の様子を重ねている。

ぼくがそこで動揺したのは、その無限のリフレインが呪文のごとき響きを放ちはじめ、個々人の自主的な意識による表現である踊りが、それまでの定められた、無内容・無方向なものから、自らの「斗い」を準備する肉体の運動への萌芽を見せたからです。（中略）ぼくはただちに「アンポフンサイトウソウショウリ」の呪文を思い出さずにはおれなかったし、四・二八斗争と六・一五斗争の質をあのゲバルトとセレモニーの質を、依然として超克し止揚すべき対象として考えている自分を確認したのです。[49]

『赤毛』での「ええじゃないか」を踊る人々の姿に、仙波はシュプレヒコールを挙げながら行進する自分たちの運動を読み取っている。先に紹介した長部日出雄も「この映画は、権三だけではなく、三派系全学連を思わせる若者たちや、進歩系文化人のアジテーターを思わせる玄斎先生などもカリ

47—岡本博「映画時評」(『毎日新聞』一九六九年一〇月二九日夕刊)。

48—『毎日新聞』に掲載された別の映画評では、「新政府に抵抗する人間はすべて撃たれる。徳川時代と変わらぬ弾圧に対し、農民や町民は〝ええじゃないか〟と踊り狂い、言葉に出せない怒りを官軍にぶつけてゆく。それはアナーキーなデモだ。しかし、岡本監督は乙羽信子の遊女のエキセントリックな〝シュプレヒコール〟にリードされたこの〝ええじゃないか〟の踊りに、非武装の市民運動の不気味なエネルギーをみせる」と評される(「映画『赤毛』」『毎日新聞』一九六九年一〇月一五日夕刊)。

49—仙波輝之「岡本喜八〈赤毛〉にワイダを見たかったのに」(『映画芸術』一九六九年一一月号)二六頁。

カチュアライズされて描かれている」と述べている。[50]

一九六九年の公開当時、奇しくも翌年に迫った安保の自動延長に対する反対運動が進行中にあり、人々のなかでは六〇年安保の体験が生々しく呼び起こされていた。そんな状況において、ラストシーンにあった「ええじゃないか踊り」による民衆の行進には、政治的な意味が読み込まれたのであった。

5　一九六〇年代に「明治」と「民衆」を描く意味

「明治一〇〇年」への問いかけ

『赤毛』などの時代劇と通して岡本が投げかけた「幕末」・「明治」像は、公開当時の一九六〇年代後半に焦点化された「明治」をめぐる社会的な動きとも共振するものであった。『赤毛』が公開されたのは、折しも「明治維新一〇〇年」を迎えるなかで、日本社会のなかで「明治」の認識をめぐって議論された時期であった。

「明治百年記念事業」として佐藤栄作内閣は、一九六八年に政府主催の「明治百年記念式典」などを開催している。[51]「民衆史」研究が勃興し始めた歴史学界は、こうした政府主導、すなわち「上からの」明治百年記念事業を、「侵略戦争への反省を欠いた、天皇中心の帝国主義的な歴史観」として批判した。[52] 家永三郎の教科書裁判も同時期に展開され、他方で大佛次郎『天皇の世紀』、司馬遼太郎『坂の上の雲』などの明治維新を主題とした歴史小説が新聞連載を飾った。とりわけ司馬遼太郎の作品が人々の歴史観に与えた影響力は大きく、司馬史観と呼ばれるほどであった。

司馬史観の特徴は、「暗い昭和」との対比で「明るい明治」として明治期が肯定されるところにある。[53] 中村政則が指摘するように、それは高度成長期に「サラリーマンなどの中産階級や管理者の

50―長部日出雄「余計者と大義」(『映画芸術』一九六九年一一月号)五七頁。
51―「明治百年記念事業」については、佐藤卓己『物語岩波書店百年史2「教育」の時代』(岩波書店、二〇一三年)や日本史研究会ほか編『創られた明治、創られる明治』(岩波書店、二〇一八年)に詳しい。
52―石居人也「歴史研究における「明治」をみる眼――「明治百年」から「明治一五〇年」への史学史として」(日本史研究会ほか編『創られた明治、創られる明治』岩波書店、二〇一八年)三五〜六二頁。
53―司馬史観の内実をめぐる歴史学的な検証としては、中村政則『『坂の上の雲』と司馬史観』(岩波書店、二〇〇九年)をはじめ、鹿野政直『「鳥島」は入っているか』(岩波書店、一九八八年)や成田龍一『戦後思想家としての司馬遼太郎』(筑摩書店、二〇〇九年)などがある。

心情にぴったりくる書き方」によって、「自己肯定」としての日本像を提供した。[54]結果的に司馬史観は、ナショナル・アイデンティティの回復を目論む政府の「明治百年祭」にも掉さすものであった。その一方で、「明治」にこそ戦争の根源を見出そうとしていた岡本の時代劇作品は司馬史観や「明治百年祭」とは対照的なものであったといえよう。

　もっとも「明治百年祭」に沸く社会のなかで、「明治」にこそ戦争の根源を見出そうとする岡本の視点は、決して孤立したものではなかった。この時期、赤報隊を題材にした映画・演劇作品が、『赤毛』をはじめ相次いで三本も制作され

ワイド特集 反権力・ゲリラ外伝

■第1部 維新裏面史にみる倒幕ゲリラの悲劇

相楽総三がやって来る

日本の歴史にゲリラがあったかどうか、その道の専門家にいわせると議論がいろいろあるようだ。しかしゲリラ的な反権力闘争は数多く見つかる。第一部で、最近にわかに映画、演劇で脚光を浴びてきた幕末・赤報隊の相楽総三を見直し、第二部で、史上のゲリラ的戦術を振り返って、ゲバの極致といえる現代の都市ゲリラがいかに恐るべき内容を持っているかを、あわせて解説する――。

101年目に"蜂起"した新劇と映画

図9　「相楽総三がやって来る」（『週刊読売』1969年7月11日号）

ていた様子を当時の週刊誌が大きく取り上げている[55]（図９）。「反権力・ゲリラ外伝」として組まれた特集において、「赤報隊もの」を制作する映画、演劇人たちに共通する動機が『維新史を民衆のものに』という反権力、抵抗の精神」にあると紹介された。[56]より具体的には、これらの作品の根底には流れているのは「七〇年安保への問いかけ」と「反明治百年祭」であるという。特集のなかで、岡本も『赤毛』の制作意図を次のように述べている。

百年でお祝いがありましたが、学校で教えるような維新史の裏に隠れた歴史、これを掘り起こすべきですね。一年遅れたが、これはおそくてもほじくるべきですよ。だいたい、いまでも百円札（板垣退助）と五百円札（岩倉具視）の明治維新がまかり通っているんですから[57]

『赤毛』の狙いは、「明治百年祭」などで記念される官軍側の政治的エリート中心の「維新史」で

54―中村政則『『坂の上の雲』と司馬史観』（岩波書店、二〇〇九年）二二〇頁。
55―「相楽総三がやって来る」（『週刊読売』一九六九年七月一一日号）三四～三七頁。
56―同上、三四頁。
57―同上、三七頁。

はなく、その裏に隠れた人々の姿を掘り起こすことであったと岡本は強調する。その後も岡本自身「丁度明治一〇〇年のお祭りさわぎの頃に、〈赤毛〉という映画を作ったのだ」と繰り返し述べるなど、先述した「あの戦争の根源を手さぐる」という時代劇制作の意図も明治百年祭を相対化する文脈と共鳴していた。[58]

余計者を主題とした岡本喜八の時代劇は、国家による明治百年祭の「大義」をも相対化し、「明治とは何だったのか」、ひいては「日本の近代化とは何か」、「あの戦争とは何だったのか」という問いを投げかけるものであった。

戦中派映画人の反戦・厭戦意識

『赤毛』の撮影にあたっては、岡本も「政治の季節」や「明治百年祭」を意識し、「安保前現時点での合わせ鏡的な作品にしたい」と述べていた。[59] では、岡本は一九六〇年代当時の日本社会をどのように見ていたのだろうか。

『赤毛』を制作中の一九六九年当時、岡本は「安保」の問題を語っている。戦記雑誌『丸』の「日本の防衛…私にも一言」欄に「ヒモツキ軍備」と題して、次のようなコラムを寄せている。

ぼくの作った映画「肉弾」をご覧になられた方は、よくおわかりと思うが、僕の戦争体験は悲惨なものでした。映画の主人公の「あいつ」のように、陸軍予備士官学校の士官候補生だったぼくは、戦争のつらさ、悲しさ、苦しさを骨身にしみて感じています。それだけに、あのような悲惨さを味わねばならない戦争は、絶対にいやですね。

ところで現在の日本ですが、危機感が非常に高まっているように思えます。（中略）今、世界は二つの大きな勢力に支配されています。そして、いつかこの二つは、衝突する危険をはらんでいます。そのとき、片方の陣営に属している日本は、とばっちりを受けて戦争にまきこまれる恐れが十分にあるわけです。[60]

自らの戦争映画、そして戦中派としての体験談と対比する形で、岡本は冷戦構造のなかに置かれた当時の日本の情勢に警鐘を鳴らす。一九七〇年の安保延長が差し迫る状況下で、岡本は「あのよ

58—岡本喜八「黒いゲリラの群れ」『歴史読本』一九八〇年一月号、一一二頁。
59—「『赤毛』クランクイン」（『毎日新聞』一九六九年四月九日夕刊）。同記事では、『赤毛』が「〝肉弾〟プラス〝愚連隊〟の味?」とされている。
60—岡本喜八「ヒモツキ軍備」（『丸』一九六九年五月号）四五頁。

うな悲惨さを味わねばならない戦争は、絶対にいや」だと反戦・厭戦意識を言語化するのであった。そして日本が戦争に巻き込まれないようにするための方策について、以下のように説いている。

まきこまれないためには、どうすればいいかというと、どちらの陣営にも属さず、中立を保つことですね。そのためには、まず安保をなくすこと。

安保があってアメリカの陣営に属しているから、米軍の基地がある。そこから飛びたった飛行機が、相手の国へ行って爆弾をおとす。おとされた方では、当然これに報復する。となると、日本はすわったままでいつのまにか戦争にまきこまてれいます。

どちらかの側に立って、いつ相手からやられるだろうかとビクビクしているよりも、二大勢力の間に立って、仲良くさせることに力をつくす方が、ずっと安全だし、立派ですね。[61]

岡本の安保に対する考え方自体は、おそらく反安保陣営に広くみられたオーソドックスなものといえるだろう。ただし、岡本が自らの体験や映画だけでなく、このように時局に応じて政治的な立場まで踏み込んで言及することは極めて珍しい。

というのも、戦中派としての自意識を持つ岡本は、ここまで見てきたように権勢を振るう政治的な主張＝「大義」から距離を取る余計者の視座にこだわってきたからである。第二章（福間良明）でも論じられているように、岡本は政治的な「正しさ」を正面から主張する「マジメさ」を一貫して相対化してきた。それゆえに岡本の戦争映画の特徴は、屈折した笑いを含んだ喜劇として描かれることにあった。

だからこそ、岡本が安保問題に直接的に言及するのはやや意外にも映る。裏を返せば、「戦争に巻き込まれるかもしれない」と差し迫った七〇年安保の問題に際して、岡本は「ええじゃないかのエネルギー」に期待せざるを得なかったのかもしれない。『赤毛』における民衆と、民衆に寄り添った草莽の士への期待を岡本は以下のように綴っている。

雄藩が幕府に取って変っただけの御一新でなく、所謂草莽の士たちが音頭を取る維新であったら、ひょっとしたらあとあと色んな戦争も起きなかったのではなかろうか、そう言った狙いである。[62]

61―同上、四五頁。
62―岡本喜八「仙台からす組ゲリラ」（『歴史読本』一九七〇年五月号）三一～三二頁。

「ええじゃないか」のなかにみられた「民衆のエネルギー」に、岡本は反戦の可能性を見出していたのである。さらに岡本は「民衆」という視点から、一九六〇年代当時の社会を、『赤毛』で描いた戊辰戦争時の社会の姿に重ね合わせていた。「民衆のなかに、政治がこのままじゃいけないという不満感がひろがっている点で、時代は似ているようです。学生運動ともある程度重なるんじゃないかな」と、民衆や学生運動にも共感的に言及している。[63]「政治の季節」と「明治百年」という一九六〇年代の時代性のなかで、岡本は自らの問題意識のなかに「民衆」という存在を見出した。「民衆」への期待を自らの戦争体験、戦中派としてのアイデンティティと反響させることによって、岡本の反戦・厭戦意識は映画という枠を超えて、現実の政治や社会との回路を明確に持ちえた。

「民衆のエネルギー」を描くことの両義性

しかし同時に「政治の季節」のなかで「民衆のエネルギー」を焦点化し、期待を寄せることは、余計者の視座のままではいられなくなることも意味した。

『赤毛』のなかで「民衆のエネルギー」が焦点化されたことによって、余計者の視点に基づく屈折した笑いを含んだ喜劇という岡本の意図を外れ、直接的に「反安保」や「反明治百年祭」といった政治的な主張や態度に流用される余地が生まれたのである。岡本は、『赤毛』における立場性について、以下のように述べている。

私のところへ来る学生が脚本を読んで「こりゃ左翼だ」といいましたがね。私は右翼も左翼もないいんだ。維新の原動力となった民衆——赤報隊士のほとんどは農民兵だから——が、維新成功のとき切られる、その裏切られた民衆の気持ちを描きたかったまでですよ。そのためには、主人公が農民であった方がいいからね。[64]

岡本自身は、「右翼も左翼もない」とあくまで特定の政治的な態度とは無縁であると強調する。しかし「民衆のエネルギー」をラストシーンで強調することによって、『赤毛』には「反権力」を掲げる左派的な態度として読み取られることにも繫がった。実際、共産党系の総合雑誌『文化評

63—「相楽総三がやって来る」（『週刊読売』一九六九年七月一一日号）三七頁。
64—同上、三七頁。

論』では評論家の石子順が『赤毛』に「明治百年記念」への批判を読み込んでいる。

> いくつかの不満は残るにしても、去年の明治百年に酔いしれたキャンペーンと、それにひたりきっているムードにたいする否定の信念がそこにあった[65]

岡本自身が学生運動や国際情勢などの政治状況に踏み込んで言及したことなども相まって、『赤毛』の特にラストシーンにおいては、余計者として「大義」や「正しさ」を相対化するのではなく、見ている側にはともすれば特定の「大義」や「正しさ」を正面から肯定しているようにも映ったのである。

結果的に『赤毛』においては、余計者へのこだわりと、民衆エネルギーへの期待との狭間で、見ている者は難しい解釈を迫られることになる。そうした要因もあってか、同作は公開当時から現在まで「岡本作品の中では芳しい評価を得ていない[66]」。

例えば『赤毛』の公開時において、長部日出雄は先述の「余計者」にこだわってきた岡本特徴を踏まえながら、同作を以下のように評している。

この映画で岡本喜八の、余計者、アウトサイダー、忘れ去られる者への執着の強さを思い知らされるのは、権三よりもむしろ、いわば〝悪役〟である遊撃一番隊の描き方においてである。遊撃一番隊のサムライたちは、枯れていく葵に殉じて、負けると知ったたたかいを挑んで死んでいく。彼等は葵を信じていたがために、時代の移り変りに対応しきれず、余計者となって死に、忘れ去られていった。

図式的にいえば彼らは反革命軍ということになるのであろうけれども、心情的には遥かに真の革命家に近かったのではないかと思われる。[67]

長部の言うように、『赤毛』における余計者は、岡本が主役に据えた権三ではなく、むしろ「悪役」の幕府側の遊撃一番隊と、代官たちに用心棒として雇われた浪人・半蔵のほうであったと捉えることもできる。物語の終盤、「ええじゃないか」を通して民衆が怒りを表出するとき、権三は悲

65―石子順「今月の映画評『赤毛』」(『文化評論』一九六九年一一月号)一四五頁。
66―野村正昭「助太刀屋助六」(『キネマ旬報』二〇〇二年四月上旬号)一〇一頁。
67―長部日出雄「余計者と大義」(『映画芸術』一九六九年一一月号)五六頁。

劇のヒーローとして民衆の「正しさ」を帯びた存在となり、気が付けば余計者の位置にはもはやいない。権三の役割が変わるなかで、新政府軍の世直しという「大義」を相対化する余計者の役割を担うのが、時代に取り残された幕府側の遊撃一番隊であり、さらには「枯れていく葵＝江戸幕府に殉ずる」という遊撃一番隊の「大義」すらも皮肉的に問い直す浪人の半蔵であった。作中において、新政府軍が迫るなかで遊撃一番隊が自らの正体（幕府の隠密部隊）を打ち明け、新政府軍を討つために「力を貸してくれ」と半蔵に頼むシーンが象徴的である。

半蔵「時の流れというやつを知っていますか。その流れに葵は……いや、もう流されてしまったとは思いませんかね」
遊撃一番隊「分かっておる。そういう世の移ろいとは知りながら、一矢報いて死にたいのだ。葵は枯れゆく時でも美しくありたいものとな」
半蔵「死ぬのに美しいも醜いもありますか？　ただ無、すべてが無くなる。それだけですよ」

こうしてみれば岡本が執着してきた余計者の心性は、民衆を導いた主人公の権三よりも、時代に取り残されていく幕府側の人間に見て取れる。岡本自身もその後の『吶喊』（一九七五年）では、幕府側の「愚連隊」的存在であった「からす組」に注目している。[68]『赤毛』は安保闘争や明治百年祭に沸く一九六〇年の社会のなかで、「民衆のエネルギー」を焦点化した。岡本が「民衆のエネルギー」の「正しさ」に共感することは、読み手に現実政治へのメッセージを直接的に読み込ませるものとなる一方で、同時に岡本がこだわってきた「正しさ」を相対化する余計者の視座からは乖離していく可能性も孕んでいた。『赤毛』には、こうした「民衆のエネルギー」を描くことの両義性が浮かび上がる。

おわりに——「幕末」・「明治」へのこだわりとその後

岡本は時代劇を手掛けるうえで、その狙いを次のように述べている。

68—もっとも『赤毛』を撮影していた一九六九年の段階で、岡本はすでに『吶喊』の原案に当たるシナリオを執筆していた（岡本喜八「〈ゲリラからす組の内〉喉切り丹次」『小説宝石』一九六九年九月号、二七頁）。

今日創る時代劇は、ただいまの時代の合せカガミでなければならぬ。──それが、私の根本的な時代劇観です。[69]

こうした時代劇に対する認識は、おそらく歴史家からすれば極めてオーソドックスな認識であろう。時代劇や歴史小説で描かれる「過去」とは、史実を再現したものではなく、あくまでその時代の価値観や期待を投影したものに過ぎないというのは言うまでもない。

しかし、岡本にとってはこうした「時代劇観」には切実な問題意識が潜んでいた。繰り返しになるが、岡本が映画をつくるにあたって何より重要視したのは「「今、戦争とは何であったか?」または「戦争とは何か?」といった底流」である。[70] 映画制作においては、こうした底流がなければならないと説いている。

時代劇においても「あの戦争の根源を手さぐるといった意味合い」が込められていた。[71] とりわけ『赤毛』には「皇軍とか聖戦の起源を、鳥羽伏見に始まる戊辰戦争と見た」という問題意識が「底流」として存在していたのである。[72]

その後も岡本は「幕末」・「明治」という時代に並々ならぬ関心を寄せ、こだわり続けた。岡本自ら歴史専門雑誌『歴史読本』(一九七〇年五月号)に寄稿するほどであった。そのなかで岡本は「八月十五日も大東亜戦争も、遠く維新から根差したと睨んでも可笑しくはない」としたうえで、次のように「幕末」や「明治」について語っている。

なにしろ明治大正昭和と、ジワジワ拡がって行った日本地図が、戦争が終った途端にフリダシに戻って、明治〇年と全く同じ日本地図になって仕舞った。そいつを考えてみると存外可笑しくはない。その間地図屋がガッポと儲けた事なんぞはどうでも良いが、度重なる戦争で大勢のハラカラが死んだ事は矢鱈と癪にさわる。

私が維新とか幕末に興味を持ち、ガンコに追っ駆けつづけているのは、一つには〝日本のいちばん長い日〟で言い尽くせなかったコトを、チビチビとでも埋めて行きたいのと、もう一つ

69—岡本喜八「「赤毛」と「座頭市と用心棒」」(『キネマ旬報』一九六九年一〇月下旬号)一七頁。

70—岡本喜八「体験的戦争映画・試論」(今村昌平ほか編『戦争映画の展開:講座日本映画5』岩波書店、一九八七年)二九五頁。

71—同上、二九六頁。

72—同上、二九八頁。

図10 『吶喊』ポスター 提供：喜八プロダクション

は、あの激動期に、汗ミドロ血ミドロになって働いてい乍ら、歴史に教科書にものらず千円札や五百円札にもならなかった連中が非道く好きだからである。

世の中が変る時に原動力になるのは、民衆に密着して駆けずり回った名もない人たちだと考える。[73]

岡本の幕末・明治へのこだわりは強く、同様のテーマで以降『歴史読本』に二度寄稿している（一九七二年四月号、一九八〇年一月号）。幕末・明治という時代に翻弄された余計者という問題意識は、その後『吶喊』（一九七五年）へと引き継がれていくことになる。『赤毛』を撮っても「あの戦争は、一体どこらあたりから来たであろうか」という「苛々はまだまだ納まらない」と岡本は綴っている。[74]岡本は『吶喊』について「百年前の『肉弾』を表現したつもり」で、「庶民のエネルギーをぶつけ」、「それが戦争責任の追及にもつながる」と述べている。[75]『吶喊』で岡本が主題に据えた「から

73—岡本喜八「仙台からす組ゲリラ」（『歴史読本』一九七〇年五月号）三一頁。
74—岡本喜八「「吶喊」が走り出すまで」（『シナリオ』一九七五年三月号）一四頁。
75—「辛口時代　岡本喜八」（『朝日新聞』一九七五年一月一六日夕刊）。

す組」は、仙台藩のなかで「ハミダシモノ」であった細田十太夫が率いる、百姓たちから成る民兵組織である。岡本自身が述べる通り「アウトローの集団」であり[76]、戊辰戦争の「大義」をどこまでも相対化する存在であった。その姿は、まさしく「明治〇年の〝独立愚連隊〟」である[77]（図10）。

岡本は、戦争映画と並走して時代劇を手掛けた一九六〇年代に、「幕末」・「明治」という問題意識を見出した。「政治の季節」や「明治百年祭」といった社会的な文脈とも絡まりながら生み出された「幕末」・「明治」へのこだわりは、その後の作品の基調ともなっていく。実際、晩年の『EAST MEETS WEST』（一九九五年）の企画構想や[78]、遺作となった『助太刀屋助六』（二〇〇二年）の原作であるテレビ版「仇討ち・助太刀屋助六」（一九六九年）の撮影などは、いずれも一九六〇年代に行われたものである。

一九六〇年代という時代のなかで紡がれた、余計者として「幕末」・「明治」を問いかける岡本の時代劇の精神は、西部劇への憧れと合流しながら、後年の作品を形作る水脈となっていった。

76―岡本喜八「黒いゲリラの群れ」（『歴史読本』一九八〇年一月号）一一二～一一五頁。
77―岡本喜八「仙台からす組ゲリラ」（『歴史読本』一九七〇年五月号）三二頁。
78―岡本喜八「企画は踊る　あゝ〝侍ウエスタン〟」（『スポーツニッポン』一九七〇年一〇月八日）。

NOGAMI Gen

野上元

〈取り上げる作品〉
『日本のいちばん長い日』『肉弾』
『激動の昭和史　沖縄決戦』『大誘拐 RAINBOW KIDS』

第4章

誰とともに何と戦う？

「内戦」を描く岡本喜八

（女学生）「私にも下さい！」「私も死にます！」
（軍医）「君たちにはやれない。……みんな早く行け」
（娼婦）「弱虫!!」

（『激動の昭和史　沖縄決戦』一九七一年）

はじめに――内戦への感性

『独立愚連隊』（一九五九年）のヒットでメジャー監督の仲間入りを果たした岡本喜八だが、改めて彼の制作した映画の一覧を眺めてみると、内戦を扱った作品が多いことに気づかされる。特に、日本史上屈指の内戦である戊辰戦争（一八六八～一八六九年）を題材とする作品の多さについては明白で、『赤毛』（一九六九年）、『吶喊』（一九七五年）、『ジャズ大名』（一九八六年）がその時代背景にしている。

まずひとつ、『赤毛』に対する岡本喜八の言葉を引用しておこう。佐藤論文でも引用されている部分である。

『赤毛』は、私にとって『日本のいちばん長い日』につながってくる作品です。太平洋戦争は、なぜはじまり、なぜあのような状態の終戦を迎えたのか。それは、ほじくりかえしてゆくと、結局、明治維新にまでさかのぼってくるのではないか、という気がするのです。……私の作品系列の中では『日本のいちばん長い日』―『肉弾』―『赤毛』という風に、作品がつながってくるのだ、と自分では考えています。[1]

同様のことはほかのインタビューや対談でも繰り返し強調されている。数多くの映画を撮りながら、日本近現代史をトータルに眺める歴史的視点を岡本は持っていたということだ。そしてその作品に「内戦」が多いのである。

1―岡本喜八「顔と言葉――「赤毛」と「座頭市と用心棒」」(『キネマ旬報』五〇七号、一九六九年一〇月下旬号)。もちろん「赤毛」制作の背景には「明治維新百年」があった。

内戦と映画。例えばアメリカでは、D・W・グリフィスの『国民の創生 The Birth of a Nation』(一九一五年)以来、内戦(=南北戦争)を描いた映画作品は数知れずある(いわずとしれた『風と共に去りぬ』一九三九年!)。スペイン内戦を舞台とする『誰がために鐘は鳴る』(一九四三年)もあり、映画という表現技術が芸術・大衆文化として社会に定着してゆく際に、内戦は重要なテーマとなった。その一方で、日本において戊辰戦争を描いた映画はそれほどには多くないことを思えば、岡本と戊辰戦争の近さは際立っている。

そしてさらに、「戊辰戦争を採りあげ続けた岡本喜八」という視線で彼の作品リストを眺めると、ほかの作品も「内戦」を描いているように見えてくる。もちろん、真っ先にあがる作品は『日本のいちばん長い日』(一九六七年)であろう。この映画は、終戦に向かう政府の動きを制止し本土決戦貫徹に向けて内乱も辞さない動きを取る陸軍中堅層を描く。

あるいは例えば『近頃なぜかチャールストン』(一九八一年)。日本国に対して独立を宣言している「ヤマタイ国」に住まう老人たちの心情や行動を描いた映画だ。『ブルークリスマス』(一九七八年)も赤い血をした人間と青い血をした人間の戦い(前者が後者を虐殺してゆく話。両者は外見では区別できない)を描いた作品で、これも内戦を描いた作品に見えてくる。

もちろん一連の岡本監督作品が内戦を描く映画に「見えてしまう」ことは、彼の戦中派体験に根ざす戦後社会への違和感がその制作のベースにあるからなのだろう。違和感の表現を求めて予定調和を外す動きは「笑い」にもつながる（福間良明による章を参照されたい）。一方、本章では、戦争を扱う映画監督としての岡本喜八について、とくに「内戦」という観点を少し深く掘り下げ、それと映画という表現形式とのマッチングに配慮しながら考察してゆくことにする。

だが、「内戦」とはそもそも何か。

一般的な定義によれば、内戦とは、国家と国家のあいだで戦われる通常の戦争ではなく、国家の内部において、武装した政治勢力同士が独立や統一を目指して繰り広げる闘争を指す。典型的には政府と反政府（非政府）勢力との武力闘争である。

しかしここには多少強引な同定がある。政府に対抗する勢力が「非政府」であるかそうでないかは、内戦の結果によって判断されるものだからだ。

例えばアメリカ独立戦争は、イギリス側からみれば植民地住民が本国政府に対して起こした反乱であり、イギリスにおける内戦だったともいえる。植民地側がこの内乱に勝利して独立を獲得し、アメリカ合衆国という国家をなしたことで、結果的にこの内戦は政府間で争う「戦争」になった（そしてこの独立戦争の勝利は「革命」でもあった。植民地住民はイギリスを離脱し、王政から共和制へと政治体制を移行させたということである。もちろん革命もまた、内乱・内戦から始まることが多い）。

一方、南北戦争はその名も「内戦 Civil War」である。[2] そして、南部諸州の最終目的は（北部の併呑ではなく）アメリカ合衆国からの独立であった。南部側から見れば、南北戦争は、独立戦争をしかけたということなのである。独立を求める側が勝利しなかったために、それは結果として内戦になった。

ふたつの戦争、つまりイギリスからの独立のための戦争に勝利する一方で、自国からの独立を求める勢力との戦争には勝利することによって、つまり前者を対外戦争、後者を内戦と見定めることによって、アメリカという国家はその輪郭を整えてゆく。

このように、ある武力紛争が内戦か独立戦争かであるかを決めるのは、戦争の帰趨である。結果論でしかない。別の言い方をすれば、集団間の闘争として、独立戦争と内戦とは類似したカテゴリーにあるということである。

さらに別の言い方をすればこういうことだ。はじめからお互いを外部とする一般の戦争と異なり、「内戦」では、全体と部分の関係が問題になる。ときには戦争の結果によってその配置が置き換えられることもある。独立戦争のように、内部と外部という配置自体が変化してしまう可能性を孕んでいるからである。

そう考えるとき、「内戦」は、誰と一緒に何と対峙しているかという想像力の問題でもある。これが目まぐるしく、あるいはゆっくりと、入れ替わる。誰の目にも明らかな変化である場合もあるし、誰にも気づかれず、ずっと後になって大きな変化に愕然となることもある。

岡本に話を戻せば、彼の作品と内戦の近さには、こうした内戦の本質が関係している。岡本のように、戦中派が感じる戦後社会への違和を様々な角度から描こうとしたとき、その描写は、そうした全体と部分の関係をめぐる想像力の問題を呼び起こさずにはいられないということである。だからそれは、全く理解不能という意味での違和感なのではない。どんな対象についても、分かり合う可能性を持ちつつ、それでもはらまれてしまう対立やずれを表すものとしての違和感である。

このように本章では、「内戦映画としての岡本作品」という解釈の方針を採り、それによって岡本作品の持っている意味を改めて多角的に分析することにしたい。これもまた、映画という表現技術と戦争の関係を見てゆく作業のひとつになるはずである。[3]

2―「civil war」に「内戦」の訳語が与えられ、一方で「(American) Civil War」に「南北戦争」の訳語が与えられていることには注意する必要がある。

3―拙論「戦争映画の社会学のために」(『戦争社会学研究』第二巻「特集・戦争映画の社会学」みずき書林、二〇一八年)。

1　内戦の記憶と戦う──乱反射する心情を写す『日本のいちばん長い日』

一九六七年の映画『日本のいちばん長い日』は、アジア太平洋戦争の最末期、連合国によるポツダム宣言の通告（一九四五年七月二六日）から玉音放送（八月一五日）までの日本の支配層に起こったできごとを描く映画である。なかでも特に、終戦の決断が下され、昭和天皇が「国民に直接語りかけても良い」と発言したことに始まり、終戦の詔勅の作成作業が始まる八月一四日昼から、クーデターの試みが失敗し、玉音放送が放送される一五日昼までの「長い日」を中心に描く。

「日本の」と付いているのは、連合軍側の「いちばん長い日」はすでに映画化されていたからだ。邦題にしてしまうと分からないが、一九四四年六月のノルマンディー上陸作戦を描いた映画『史上最大の作戦』（20世紀FOX制作、一九六二年）の原題は『いちばん長い日 The Longest Day』である。ドイツ側／連合国側の両視点を描くというだけでなく、スター俳優を配し、一兵卒や住民から将軍までを描く超大作戦争映画である。

一方『日本のいちばん長い日』において、ほとんどの登場人物は実在の高官であり、庶民はほぼ出てこない。そういう意味ではこの映画は、核戦争の恐怖と冷戦の狂気を描く『博士の異常な愛情』（スタンリー・キューブリック監督、一九六四年）と同じく、ある意志決定をめぐる人々を描く政治映画なのであった。

両映画が共有するのは閣議を行う巨大な円卓で（第5章塚田論文参照）、これは、単なる小道具というよりも登場人物たちの行動や言動を制御する舞台装置のような機能を持っている。ここには、物語を牽引する特定の主人公がいるわけではなく（あるいはいたとしても影が薄く）、むしろ人々は任意の小集団としてのみ意味をもっているようにみえ、カメラはかれらの行動を順番に描いてゆく。つまり群像劇である。

映画のポスターなどにおいても、割腹自殺を遂げる陸軍大臣・阿南惟幾を演じる三船敏郎の姿がクローズアップされているが、これは主人公の不在を埋め合わせるためのもので、興行上の都合によりそれらしくしつらえたものに過ぎない。タイトルに「いちばん長い日」とあるのだから、あえて主人公を探すとしたら、「長い一日」あるいは「時間」そのものになるだろうか。

人びとの思惑が絡まり合い、ショッキングなものから些細なものまで様々な衝突が並行して起こる。が、それぞれ事態の方向を決定的に変化させるほどではない。歴史の流れは「終戦」に大きく傾き、動かしようがない。それぞれの登場人物は与えられた局所で、その局所こそが事態を動かす要所だと考えて右往左往するが、全体の動向を彼らは知らない。それらを全て総覧できるのは映画の観客であり、しかも人びとは、歴史の帰趨を知っている。神の視点から日本近代史における「いちばん長い日」を眺めることができるのがこの映画なのである。

では、この映画はどのような意味で「内戦」映画なのであろうか。

ひとつはもちろん、ポツダム宣言受諾阻止、玉音放送阻止、そして武力蜂起へと動く軍部とそれを抑えようとする人々たちとの戦いという意味での「内戦」である。鈴木貫太郎首相や昭和天皇の願いは米英を信頼しての穏健な戦争終結であり、軍人たちの願いは、民族の誇りをかけての本土決戦であった。つまり、「終戦」と「決戦」のあいだの争いとしての「内戦」がそこにはあった。

登場人物たちは歴史の「なか」にいる。劇中でも、「特攻で二〇〇〇万人死ねば日本は勝てる」と海軍軍令部次長・大西瀧治郎が叫ぶ。我々観客の眼には狂気の発言にしかみえないが、一方で歴史は、軍人・民間人数千万の犠牲者を出してソ連がドイツに勝利し祖国防衛を成し遂げたことを伝えている。

もちろんじっさいには内戦は起こらず、「終戦」への抵抗は小規模の反乱に留まった。もちろんそれが大きな動きとなり、大きな内乱となる可能性はあった。だが、終戦へと不可逆に時間が進む中でたびたび挿入される、横浜警備隊の佐々木隊長や厚木基地の反乱の動き、玉音盤を探して宮内庁の倉庫をひっくり返してまわる兵士たちの狼藉は、悪性の狂気というよりも、時代に取り残された道化を示している。ここで「内戦」として描かれていたのは、戦いや争いそのものではなく、彼らが何を信じていたか、その願望を何に託していたかということをめぐるものであった。

とはいえ、この映画で起こる一連の出来事のなかで、直接には描かれていないものの、ほぼすべての登場人物が認識や行動の前提にしている事件がひとつあることを忘れてはならない。すなわち、一九三六年二月に起こった二・二六事件の記憶である。そこで内乱は、寸前のところで内戦となることを回避した。登場人物たちだけでなく、多くの観客もまた、この映画の底流に、その緊張を読み取る。

多くの重臣が殺され、首都には戒厳令が敷かれたが、決起将校たちにとって頼みの綱であった昭和天皇は重臣を殺されて激怒し、蹶起部隊は反乱部隊とされるようになる。鎮圧ののち、首謀者は処刑された。この映画の観客たちにとっては三〇年ほど前の出来事だが、この映画の登場人物たちにとっては、一〇年ほど前の経験である。ある政治的に重大な決定がなされるとき、「それに不満な軍部がいつ反乱を起こしてもおかしくない」という認識が生々しくあり、ときにそれは様々な場面で恫喝として用いられている。本来ならばそれは、指導力・統率力が欠如していることを吐露することでしかないはずのものだった。「内乱の記憶」が現実の政治を動かしていたわけである。

このように、この映画は政治的動乱の可能性にふれる映画なのだが、一方でこの映画は、恋愛映画でもある。……と書くと少し不適切かもしれない。もちろん女性がほぼ出てこないこの映画を恋愛映画とみなすことが適当でないのであるなら、心情劇であるといってもよいかもしれない。

　この人なら自分の真心をわかってくれるだろう／ほしい、代弁してくれるだろう／ほしいという切ない心情が錯綜し、反射しあっている。また逆に、どうせ分かってはくれないだろうという諦念もあり、それは傷ついた心の描写と裏表になる。カメラはそれらを映し出そうと執拗に彼らの顔に張り付くのだが、特に畑中少佐（黒沢年男）の大きく見開かれた眼、わななく口や眉毛の表現は圧巻だろう。

　詰め寄る中堅将校たちを前に、「不服のある者はこの阿南を斬れ！」と啖呵を切るのは三船が演じた阿南惟幾の見せ場のひとつである。すでにあの状況で彼に何かができたわけではないが、何かできそうに見える限りにおいて将校たちの思いの依代になっていたということだ。そしてその阿南が八月一五日早朝、玉音放送を聞くこともなく自決してしまえば、「不服がある」と感じてももはや誰も阿南を斬ることができない。のみならずこれは、内戦を目指していた将校たちに「不服があれば自らを斬れ」と自決を促すメッセージにもなった。

　岡本の言葉でいえば、「皆が右往左往していただけ」の「かなり日本的な敗戦の一日」[4]だったということである。そしてなぜ・どのように「皆が右往左往していた」のかということの答えが、この映画であった。対立があったとしても、お互いを全く理解不能な異人としてしまうのではない。内面の葛藤、心情の反射作用、小さな／大きな齟齬や裏切り、そうしたことの乱反射として人びとの小さな／大きな衝突が描かれるような、そうした意味での「内戦」映画なのであった。

2 心象風景としての「内戦」映画――『日本のいちばん長い日』に挑む『肉弾』

『日本のいちばん長い日』の成功のあと、岡本は、さらにもうひとつの「いちばん長い日」を描こうとする。岡本自身が様々な機会で述べているのは、次のようなことである。

その頃、小林正樹さんで『日本のいちばん長い日』の企画があったんです。それで大宅壮一氏の原作（半藤一利執筆）を読んだら面白かった。自分が昭和二十年に助かったのはどうしてか、ということがよく描かれていて、俺も知るべきだし、皆も知る必要がある、と。そして一方で、

4―佐藤勝との対談より（『大誘拐 RAINBOW KIDS』パンフレット、一九九一年＝岡本喜八『しどろもどろ（映画監督岡本喜八対談集）』ちくま文庫、二〇一二年所収）。

自分の企画がもう採りあげられないという強迫観念があって、このままではダメになる、ということで書き始めたのが『肉弾』（'68）なんです。目標は『日本のいちばん長い日』で、あれには庶民が出てこないだろう、じゃ俺の体験から、庶民の側の戦争というか敗戦を描きたいと思ったわけです。[5]

つまり、『日本のいちばん長い日』はそもそも自分が撮る予定の映画ではなかったというのである。この岡本の「強迫観念」もいろいろなところで述べられていて、それは、中流サラリーマンの生活喜劇『江分利満氏の優雅な生活』（一九六三年）に戦中派の屈折を混ぜてしまい、「変化球を投げるな」と会社に言い渡されたことに端を発する。その結果、次々と自分の企画が却下され、自由に映画が撮れなくなるのではないかという思いに襲われた。

会社としては、手堅い作品を撮ってくれればよく、納品期日と予算管理において手堅く計算のできる監督として育成してゆこうという思いがあったのかもしれない。

岡本は『日本のいちばん長い日』を、緊迫した政治劇、いや正確には、恐ろしいまでに彼らの「顔」に張り付いたいわば「表情劇」として描いたが、それ以上には自分の持ち味を出せたとは言い難い。反乱の計画者である陸軍中堅将校を喜劇的に描くことまではさすがにできず、狂気の道化として乾いた笑いの中に示すことができたのは、横浜警備隊の佐々木隊長の姿だけであった。なによりも、戦中派として戦争を経験した岡本自身の視点や居場所がこの映画の中にない。『いちばん長い日』で描けなかったものを描く作品、『肉弾』が必要になったということである。

つまり『肉弾』は、岡本自身の体験が生かされた作品である。そのことは多くの著作、たとえば岡本の自叙伝的な著作『鈍行列車キハ60』(佼成出版社、一九八七年)を読むことでもわかる。しかし、この映画のどこが「内戦」映画だというのだろうか。

『日本のいちばん長い日』は、「終戦」と「決戦」とのあいだの内戦を描くものであり、その結果「決戦」は破れた。端的に敗れたというよりも、後者を切り捨てることによって「終戦」に落ち着き、内戦や分断の危機を乗り越えて「日本」という全体がその同一性を保つ、ということであった。その勝利の余勢を駆って、意味論的には、「終戦」は「敗戦」にも勝利したことになる。[6] そして先ほども述べたように、この「内戦」の決着は、「終戦」と「決戦」とのあいだの危うい均衡をぎり

5―石上三登志との対談より(『キネマ旬報』一九八三年二月上旬号=岡本喜八『しどろもどろ(映画監督岡本喜八対談集)』ちくま文庫、二〇一二年所収)。
6―このことは稿を改めて論じてもよいだろう。

ぎりまで体現していた阿南の自決によってなされた。

一方、その翌年の映画『肉弾』はどうだったろうか。

比喩的に述べてよければ、これは、「終戦」によって可能になった豊かな「戦後」と、「終戦」によって切り捨てられた「決戦」のあいだの密かな争いを描く映画であったといえる。

主人公は、岡本喜八が自らの経験を投影した学生兵士の「あいつ」で、これを若き日の岡本によく似た寺田農が演じている。自分は「決戦」で死ななければならないらしいが、何のために戦うのかに確信が持てていない。外出許可は二四時間（一日）。溌剌とした少女と出会い、この娘のためになら死ねると「決戦」の覚悟を決めるが、その娘は空襲であっさり死んでしまった。

ついに「あいつ」は海に魚雷を浮かべ、これにくくりつけたドラム缶に潜り込む。日本を襲う敵艦が近づき、『肉弾』となる時を待つのである。だが、哀しいことに、そうした「一日」を経て、戦争はいつの間にか終わる。映画の最終盤、ドラム缶の外には「終戦」が選ばれて二〇年余りが経った一九六〇年代の光景が広がり、「あいつ」は白骨化した姿のままドラム缶の中で抵抗を続けている――という映画である（図1）。

これが「内戦」映画でなくてなんだというのだろうか。豊かさに対する「内戦」である。白骨化した身を画面に晒すことが「戦っている」ことになるのは、一九六〇年代において戦いとは、喧噪と沈黙のあいだで争われるものでもあるからだ。

ドラム缶という舞台装置が豊かな外界から彼を隠し続ける。だからこそ、戦いは続けられているとすることもできる。「顔」に張り付くしかなかった「いちばん長い日」と違い、映画のカメラはドラム缶の中にも自由に入っていく。そこは、達観した様子を決め込んではいるが無言のまま重い抵抗を続ける人間の内面世界と喩えることもできよう。こうした仕掛けにおいて、この「内戦」映画は、社会の変化を描きながら個人の葛藤を描く映画になったのである。

さらにもうひとつあるのは、この映画の製作条件という少しメタな話である。

「このままではダメになる」という岡本の言葉にあったように、この『肉弾』という映画自体が『日本のいちばん長い日』への対抗から生み出されたものであった。とはいえ、それは岡本の個人的な内面の葛藤だけではない。それは、映画制作のあり方をめぐる反乱であったともいえるし、会社の要請に応え続ける職人監督と他に代えられない作家性を抱く巨匠監督という、映画監督としての岡本喜八という社会的存在をめぐる対立でもあった。その状況をうまく受け止めたのがATG（アートシアターギルド）という映画会社による制作・配給のシステムである。岡本の言葉を引こう。

――ATGという解釈は、制作費的にはかなり不自由ではあるけれど、作るもの、上映されるも

図1　白骨化した「あいつ」　© TOHO CO., LTD.

のも、かなり精神的に自由である。そういう解釈で僕はいる。そういう意味で『肉弾』はかなり自由である。それと、職人監督には、職人気質として撮りたいものがある。と、二つの物いでレポートを書いて、ATG側が五百万、こっちが五百万、借金をかけるという形でやったわけ。[7]

ここで述べられているのは、制作費の不自由と制作の自由のバランシングである。潤沢な制作費がむしろ制作（創作）の不自由を導いてしまうのなら、映画制作とはなんであるのか——、これが問われている。岡本の制作活動は、潤沢な制作費によって可能となる作家性と、資金が限られていることから見出される作家性という、映画監督としてのふたつの作家性のあいだに活路を見出そうとするものであった。

制作費をふんだんに遣った華麗な映像によって観客を見込むのではなく、脚本と編集の妙が生むテンポ、それを下地にした「笑い」が誘引（アトラクション）となり観客数を稼ぐ。アイディアこそが制作の自由を守るのである。その一方で、「笑い」とは、売れなくてもいい、分かりにくくてもいいという孤立に安住することをよしとしない、人同士の共感可能性に対する賭け、コミュニケーションに対する信頼を示すことでもあった。

「内戦」を描く岡本喜八。大作をとったあとに小品の佳作を撮り、それも受け入れられる。彼の作品が「内戦」を描いているように見えるのは、その内容だけでなく、彼の映画制作自体が映画生産体制における「内戦」の構えを示していたからでもあるのだった。付け足しておけば、岡本の「強迫観念」は、彼の助監督時代にあった東宝争議（一九四八年）という映画製作会社の中で起こった「内戦」の記憶に根ざしていたともいえるかもしれない。米軍まで出動し、「来なかったのは軍艦だけ」といわれた争議である。さらにもうひとつ挙げれば、岡本の監督デビュー（一九五八年）のきっかけも、（山本論文でも触れられているように）映画製作未経験の小説家・石原慎太郎を監督にして映画を撮らせるという会社の動きに反発した助監督たちが団結して会社側に出した和解の条件によるものであった。こうした様々な軋轢のなかで映画を生み出し続けてきた岡本からすれば、ＡＴＧという選択は特異なものではなかっただろう。

『独立愚連隊』以降、西部劇の技法を盛り込んだ痛快な「兵隊もの」を撮り、一方で『日本のいちばん長い日』ではエリートを中心に描いた岡本喜八だったが、自分の戦争体験を元にしたこの『肉

7―利重剛との対談より（『JUNON』一九八四年二月号＝岡本喜八『しどろもどろ（映画監督岡本喜八対談集）』ちくま文庫、二〇一二年所収）。

弾』以降、「反戦のスタンスを持っていない」という的外れな批判はなされなくなる。

3 分断線を複数化する――編集術としての『激動の昭和史　沖縄決戦』

沖縄戦は、アジア太平洋戦争末期において数多くの住民を巻き込んだ国内唯一の大規模な陸上戦である。その本質は、本土決戦のための「捨て石」、つまり防御態勢を固めるための時間稼ぎであった。降伏を許さない日本軍が直接・間接的に沖縄県民に自決を求めたことでも知られる。このことが後年熱い論争の焦点となり、近年の沖縄戦をめぐる「戦争の記憶」はさながら「記憶の内戦」の様相を呈するようになっている。この記憶の戦場では、戦闘末期の状況ばかりが強調され、沖縄戦はまるで日本軍と沖縄県民が戦った戦争であるかのように定着することさえある。対立はアメリカ／日本だけではなく、日本／沖縄でもあったということだ。沖縄も朝鮮半島や台湾と同じく（あるいは下手をすると北海道も）帝国日本の植民地であったという認識である。

映画の冒頭には、「軍と運命を共にしてもらいたい」と涙ながらに訴える第三二軍司令官（沖縄戦を戦った第三二軍司令の前任者）の演説に続き、それを聞いていた県民が落としたと思われる瓶が床に転がり椅子の足にぶつかって止まるシーンがある。

県民の表情を直接写さずに、かれらの絶句・茫然を観客に想像させる演出である。もうこれで「内戦」映画としては十分なのだ。アメリカと日本の戦いとしてだけ沖縄戦を描くことはしないという宣言である。沖縄県民という視点を入れ、その本質のひとつ、自分たちの安全や生命を脅かすのはアメリカ軍であるだけではなく、日本軍の中にある「玉砕の覚悟」でもあるということが示される。

ただし、ここで司令官の演説に対する沖縄県民の表情を詳しく写してしまうと、対立が日本（軍）／沖縄で固定してしまうことになりかねない。転がって椅子の足にぶつかる瓶で住民の絶句を間接的に示すという演出で十分である。対立は複数あり、もちろんそれは日本軍と県民とのあいだのものだけではない。何を文脈とするかで異なり、状況の変化で浮動するものである。

その頼りなさが、別のところでも巧妙に表現されている。理髪屋（田中邦衛）とその家族の会話だ。

「疎開、疎開だよ。お前たち荷物まとめてすぐ行け。船に乗れ」

「急に、そんな……」

「つべこべいわねぇで女子どもはとっとと行け」

「あんたは?」

「おらぁウチナンチュだ。こいつで軍司令官を……」

「そんな恐ろしい」

「馬鹿。軍司令官の散髪屋になったんだ。月給一五〇円の軍属だ。二月分前金で呉れた。ほれ三〇〇円。そいつ持ってとっと行け」


剃刀を握って「こいつで軍司令官を」というときの理髪屋の表情は、その妻だけでなく観客をも欺こうとするものである。しかしそれはいっしゅんのことで、すぐに次のセリフで否定される。しかし確かに、そうした対立がありうることだけは観客に示されているのである。

そのほかこの映画では、沖縄戦をめぐる別の対立軸も描かれている。例えば、「日本(軍)」も一枚岩ではない。「沖縄の第三二軍司令部/本土の陸軍中枢」という対立があり、大きくいえば、沖縄戦を戦略的にどのように位置づけるかは、始めから決まっていたわけではなかった。軍はそれまで、サイパンやマリアナでの戦い(一九四四年六~七月)が「決戦」であるといい(その敗北の責任を取って東條内閣が倒れた)、フィリピンでの戦いが「決戦」(比島決戦一九四四年一〇月)であるといってきた。そしてこの流れでいえば、この映画のタイトル『激動の昭和史　沖縄決戦』が示すとおり、沖縄もまた「決戦」である可能性があった。

その経緯は、この映画でも丁寧に述べられている。陸軍は迷っていた。軍中央は、第三二軍に命じて沖縄に複数の航空基地を建設し、西南海域で大規模な航空戦を行おうと考えていた（建設された航空基地は上陸してきたアメリカ軍にすぐさま占領され、直ちに使用された）。さらに台湾も「決戦」の戦場となる可能性があった。北部満州から抽出され、いったんは沖縄に配備された第九師団は、さらに台湾に転置されることとなった。

現在の私たちは、沖縄戦を「決戦」だったと考えていない。沖縄は、本土の「捨て石」だったと考えている。つまり、日本軍の最終決定において、「沖縄決戦」は棄てられた「決戦」となった。先ほどから用いている言い方を続ければ、「沖縄決戦」は「本土決戦」に敗れたのである。[8]

だが映画のタイトルはあくまでも（興行上の成功への思いも込めて）『激動の昭和史　沖縄決戦』である。これもあながち嘘ではないという。最精鋭である第九師団を台湾防衛に引き抜く決定を聞き陸軍上層部に怒りを示す第三二軍首脳であっても、なお「決戦」に自信があったことが描かれている。北東から南西までに細長い沖縄本島は、両翼包囲を困難にさせ、少ない兵力で以て迎え撃つ側

8—劇中では、第三二軍の参謀長に（これが）「日本陸軍最後の戦い」と言わせている。

にとって有利な地形にあったからである。もちろん防御側の損害も少なくはなかったが、米軍の損害も少なくなく、その進攻は大いに遅滞させられた。

さらに対立は第三二軍司令部の内部にもあった。これを丹波哲郎と仲代達矢が演じている。仲代達矢の演じる高級参謀が立てた作戦は、その冷静沈着さと合理主義をあらわし、兵力不足により攻勢は避け、陣地を利用してできる限り米軍に出血を強いるというものだった。その上司にあたる丹波哲郎が演じる参謀長は、豪放磊落・横紙破りの性格で、華々しさのない防御的な戦いにやがて倦み、攻撃作戦を実行して無為に戦力を失わせてしまう。それでいてふたりは古くからの友人でもあることが描かれ、そのやりとりは、外での凄惨な戦闘を尻目に描かれる洞穴の中の司令部において、奇妙なほど人間的な味わいをみせる（図2）。

様々な対立の錯綜や重層をみたところでもう一度考えてみよう。「捨て石」とはどういう意味なのだろうか。

忘れてはならないのは、日本本土も「決戦」するはずだったということである。もちろん沖縄が「捨て石」だったことは変わりない。だが、それはあくまでも本土決戦をより有効にするための「捨て石」であるはずだった。それは本土と沖縄のあいだの（あるいは玉砕していった無数の最前線との）いわば約束のようなものであったはずだが、すでに『日本のいちばん長い日』で描かれていたように、やがて本土の「決戦」は「終戦」に敗れる。その結果、沖縄における「決戦」のための「捨て石」は、「終戦」のための「捨て石」へと姿を変えたのである。

様々な外在的・内在的な対抗関係があり、戦略的な意味づけの多重性がある沖縄戦をそのように描く映画『激動の昭和史　沖縄決戦』は、映画としても複数の意味づけが可能となる映画であった。戦争大作であり、反戦映画であり、犠牲となった住民と兵士を悼む映画でありながら、兵士による住民虐殺を描く映画でもあった。さらにいえば、CGや特撮こそ駆使されていないものの、娯楽大作であるともいえる。それらさまざまな意味づけを含みながら、様々な人々を観客として引き込むことを可能にしている。以後、東宝「8・15」シリーズの多くの映画はこの方式をとる。いわば「両論併記」ということであり、いつまでも批判はつきものであったが、それは観客を選ばないという方針ゆえのことであった。

とはいえ、この『激動の昭和史　沖縄決戦』は実はそれほど予算に恵まれた映画ではない。沖縄ロケでは十分なスタッフを連れて行くこともできなかった。役者が足りず、大艦隊の接近を告げる大東島守備隊の監視長役で岡本喜八も自ら出演しているし、他にも岡本が兵士として出演しているシーンがいくつかあるという。

あるいは、押し寄せる大艦隊を示すのに、特撮もCGも使うことができない。

図2　第三二軍司令部のふたり　© TOHO CO., LTD.

支隊長「通信兵、司令部に連絡！　本島西海岸一帯は、米艦艇のため海の色が見えない！」
司令部の通信参謀「何？　海の色が!?」
支隊長「船が七分に海が三分。分かったか！　船が七分に海が三分だ」

大艦隊来襲の描写は、この映画において、沖縄戦がいかに困難で絶望的な戦いであったかを示すために重要である。ノルマンディー上陸作戦を描く『史上最大の作戦』でも、海を埋め尽くす連合軍の大艦隊が映し出され、ドイツ軍の監視兵がその発見を上司に伝えるシーンは印象的に構成されている。だが、この『激動の昭和史　沖縄決戦』では艦隊を写す予算がない。その代わり、直接描かなくても、台詞による表現が大艦隊の姿を「映し出す」のである。通信参謀に報告する支隊長の言葉でそれがなされるので、不自然ではない。観客は、通信参謀と共に想像しなければならず、それが演出の妙となっている。

予算の問題は、特に沖縄戦の南部撤退の際の演出の問題になってもあらわれた。この南部撤退は、日本軍だけでなく、県民にも多くの犠牲者が出始める沖縄戦の決定的な局面のひとつである。重傷者は自決させられ、県民・負傷兵・軍医・女学校の看護婦・参謀たちが砲火の下、島尻地区を目指した。それを描かなければならない。
岡本はインタビューでこう述べている。

例えば『史上最大の作戦』かな、ああいうようなものを日本じゃ駄目だと思った。金がなくて。最初にまだ入る前に、製作担当とスケジュールと予算を立てるでしょう。その時にね、マブニの撤退（のシーン）を雨降らせないでやってくれっていう訳。「なんで」って言ったらね（撮影に）三日間見込んで、夜、しかも雨降らせると予算が収まらないと。でも俺は、月夜に皆撤退して行くのと、土砂降りの中を必死に負傷兵やらが這って行くのと、どっちが絵が（いいか）。実際でも、そうだったんです。事実に即したらそうなっちゃう。で「俺は雨でやるよ。その代わり、一番最後に回してくれ」と。実際、一晩で撮っちゃった。[9]

それだけに、予算を投じたこの貴重な「雨」は、関連するシーンの演出においても非常に丁寧に

9―「岡本喜八、『結婚のすべて』から『大誘拐』までを語る」（聞き手・森卓也）（『kihachi フォービートのアルチザン――岡本喜八全作品集』東宝、一九九二年）一八二頁。

扱われている。南部撤退の是非を激しく議論している三二軍首脳の会議に入ってくる島田県知事の国民服が、既に濡れている。また、歩くことのできない重傷者に自決を促す陸軍病院内のシーンでも、画面の端で水が流れ落ちる演出があり、雷鳴の効果音も小さく挿入されている。これらの演出が、南部に向けて雨中を歩く人びとを映し出すシーンにつなげられているのである（図3）。『激動の昭和史　沖縄決戦』は、軍司令官や参謀から軍医、あるいは下級指揮官や兵士たち、戦闘に巻き込まれてゆく学生や教師、娼婦や理髪師といった沖縄住民までを描いたので、『日本のいちばん長い日』のように、「庶民を描いていない」という批判にさらされることはなかった。また一方で、『肉弾』のように、息苦しいほどに個人の内面に接近することもしない。

こうした映画の骨格において、多くの岡本作品論で指摘されることの多いテンポの良さ、短いカット割りが存分に生かされる。ある出来事がおき、観客が画面で説明されている状況を十分に認識する一瞬前に画面は次の場所に移ってゆくという技法である。つまり、十分な説明を「カット」してしまい、観客に咀嚼の時間を与えない。これが独特のリズムと味わいを生むという（もちろん先に述べた、瓶が転がるシーンもそのひとつである）。

このテクニックを通じて示されるものは何か。それはつまり、この沖縄戦では数え切れない出来事があり、示さなければならないことはあまりに多い、ということである。情感に浸る間はないということが、短いカットを繋いだ短いシーンを繋いでゆくことで表されている。

例えば米須の洞窟に入ってきた日本兵と県民が対峙するシーン。(「／」はカット割りを示す。書き起こしは筆者)[10]

(正面から)日本兵「おい、そこの女ども、壕から出ろ!」／

(切り返し、日本兵に握られている軍刀のアップ越しに壕の奥にいる住民を写す)／

(切り返し、ふたたび日本兵の正面から)「返事をしろ! ここはお前たちのいるところではない! この壕から出ろ!」／

(切り返して日本兵の肩越しに住民)／

(切り返して日本兵の顔のアップ)「軍の命令だ!出ろ!!」／

(切り返して、ひとりの住民の女性が立ち上がる)住民「私たちは出て行きません。ここは私たちの壕です。あなた帝国軍人でしょう、アメリカと戦う軍人でしょう?」／

(切り返して住民の肩越しに日本兵を写す。少し遠く、小さい姿になっている。画面奥には壕の入り口が

10—雑誌『シナリオ』(一九七一年九月号)があるが未見。

図3　雨中を歩く人びと　© TOHO CO., LTD.

明るく見える）日本兵「なにぃ？・」／
（切り返して住民のアップ、膝から上）「どうして壕から壕へと逃げ回るの？・」／
（住民のアップ、胸から上）「どうして私たちを追い出すの？・」／
（住民のアップ、首から上）「どうして隠れていたいの！」

非常に短く割られた切り返しの各カットの末尾部分の声は繋がっていて、緊迫したやりとりを途切れさせない。シーンの大部分では交互のやりとりで進むが、最後の短い三カットは切り返さずに問い詰める住民だけのクローズアップになり、そのメッセージの力を強めながら暗闇のなかで浮かび上がる彼女の表情を大きく映し出してゆく（図4）。けれども、それを聞いた日本兵の顔は写さないでシーンは終わるし、最後のセリフも住民が言い終えるのとほぼ同時に、余韻を全く与えずに、間もなく映画は別の壕の描写（日本兵が住民に苛つく真壁の洞窟）に移る。

こうしたカット間のつながりを撮影の現場でチェックしなければならなかった記録係の梶山弘子の回想によれば、『激動の昭和史　沖縄決戦』の頃は、「ヨーイ、スタート！……カット」ではなく、「ヨーイ、カット！」と聞こえる程、短いコンテのまま、殆どだぶらしもなく撮っていた」という。[11] こうして、意味づけの未整理なシーンが積み上げられてゆくのである。

一方で、梶山も回想するように、思いきり長いカットもないわけではない。印象的なのは物語の最終盤、自衛隊の協力をえて富士演習場で撮影されたと思われる、亀甲墓の前で沖縄民謡を歌いながら舞う老女のシーンである。

押し寄せる戦車（おそらくアメリカから自衛隊に無償貸与されていたM41軽戦車）九両を前に踊り続ける、非常に長いシーンである。速いテンポのこの唄は途切れることなく、途中父親が鎌で子供の首を切って殺し自らも自決するシーンが挟まるが、その後二〇秒ほどを使ったカットでは（岡本にしては極めて長いカット）、砲身越しに、カメラは踊る彼女に近づいて行く。老女は両手を頭の上でかき回すように動かしながらよたよたと右に左に踊り続けるが、その二〇秒の最後のあたり、まさに彼女の顔に戦車砲が突きつけられる直前には、カメラも激しく手ぶれを起こし、「いーやさーさー」という人びとのかけ声が唄に重ね合わされるようになる（図5）。そしてこのシーンの後には県民の死体が延々と写る連続した短いカットに移るがその唄声が途切れることはない。

もちろん短いカットや長いカットによるこのような演出の工夫があっても、どんな戦争映画に対

11—梶山弘子「主語のない会話」（『kihachi フォービートのアルチザン——岡本喜八全作品集』東宝、一九九二年）二三二頁。

図4　洞窟内のシーンを演出する岡本喜八　© TOHO CO., LTD.

図5　沖縄民謡を舞う老女　© TOHO CO., LTD.

してもそうであるように、「実際の沖縄戦はもっと悲惨であった」という批判もあったし、映画としての収支を考えずに「娯楽的要素が多すぎる」という批判もありえた。ただ、岡本映画は、説明的に沖縄戦を示し、反戦について統一的な見解を持った立場を目指すのではなく、矛盾もはらんだまま、ひたすら早足でそこで何があったかを示してゆくことをするのである。

現在まで、この作品以上に正面から「沖縄戦」を描こうとした映画があるだろうか。戦争責任を問う問題意識（日本兵に怪しまれて射殺される校長が抱えていたのは天皇の「ご真影」であった）も示しながら、制作やマーケットとの調整もなされている。様々な制約の下にあったはずだが、岡本が誠実に仕事をしたことは間違いない。その結晶が、「内戦」映画としての『激動の昭和史　沖縄決戦』という作品なのであった。

最後にもうひとつ。随所で流れる佐藤勝の挿入曲についてである。多くの場合、挿入曲は、めまぐるしく変化する状況のなかで、せめてもの説明、状況に関するインデックスとしての役割を果たしている。つまり軍事的な状況を説明する場合に使われるテーマと、沖縄県民の状況を説明するテーマとがあるのだ。

ところが、そのようにふたつの主題が立てられながら、その区別が裏切られ続ける。

繰り返し触れている映画の冒頭にある、県民の転がした瓶のシーンに続くシーンでは、まず前者の曲が挿入され、それがいつのまにか後者へと転調して接続する。また、これまた先に触れた老婆が舞うシーンでは、初めに沖縄民謡が流れ、その曲の極みで県民の死体を映し出してゆくのだが、それでいて画面がさっと入れ替わって前者の主題に間をおかず繋げられ、兵士たちが戦車にひき殺されたり米兵に囲まれて射殺されたりひとり自決したりするシーンに繋げられる。続いて沖縄戦の死者の数が大きなテロップで映り、映画のラストシーンへと移るのだが、そのシーンで少女が住民の死体の並ぶ海岸線を歩くカットで流れるのは後者、そして程なく流れるエンディングでは、後者に近いがオーケストラで録音された軽快なメインテーマになる。そして、ここで三味線の音色は決して使われることはない。それを使うとどうしても甘くなってしまうからだという。

このように、無数の対立や矛盾を示しつつ、単純化させないという岡本の姿勢を音楽が助けていることも指摘しておきたい。

4　「お国」と戦う(ことの不可避と不可能)
――遊撃戦としての『近頃なぜかチャールストン』『大誘拐RAINBOW KIDS』

『激動の昭和史　沖縄決戦』公開の翌年の一九七二年、沖縄の復帰がなされた。「日本」という全体をめぐる空間認識は安定してゆく。そうした時代においても「内戦」を描き続けるのが岡本喜八である。

一九七一年に公開された『激動の昭和史　沖縄決戦』に対して、その四年後に撮られた『吶喊』（一九七五年）は戊辰戦争を描く映画である。とすればこれは『日本のいちばん長い日』に対する『赤毛』の関係に対応するものなのであろう。では、『肉弾』に対応する映画はどこにあるのか？

順番こそ逆になったものの、それが『近頃なぜかチャールストン』（一九八一年）である。岡本自身の言葉を借りれば、「〈それからの肉弾〉といった写真[12]」であり、続編としての正統性を示すために、わざわざ白黒映画で撮られている。それだけでなく、『肉弾』でも出てきた、黒板に白墨で平均寿命の変化を書き並べるシーンが出てくるのだ。そしてこの作品もまた『肉弾』と同じくＡＴＧの作品であり、加えていえば、岡本にとって最後のＡＴＧ作品になっている。ＡＴＧもその役割を変えつつあった。

この『チャールストン』には、『肉弾』にあった「決戦」と「敗戦」の緊張はない。「終戦」も遙か、日本社会は豊かな余生としての「戦後」を過ごしているようにみえる。

物語は、利重剛演じる若者が、老人たちの営む独立国家「ヤマタイ国」に潜り込むというものである。この老人たちは、『独立愚連隊』の面々や『肉弾』の「あいつ」が戦後に生き延びていたらこのように過ごしていただろうという想定のもと登場した人びとだという。そして彼らは岡本映画に多数出演してきたベテラン俳優たちでもある。

若者と老人たちが初めて会うのは留置場の中である。若者に対して老人たちが次々と「大臣」として紹介されていく。留置場という空間で「ヤマタイ国」がその全貌を表すところが面白い。もちろん「日本」という国家の全体の表象として国会議事堂が映し出されるシーンもあるが、それ以外の大部分のシーンは川崎市多摩区の住宅地や小田急線向ヶ丘遊園駅前のマンションで撮影されている。さらにそれは岡本監督の自宅や事務所のあるマンションであったりする。「内戦」の舞台は、「国家」よりも「住宅・住宅地」となったということなのだろうか（図6）。

そして一九七八年の『ブルークリスマス』を挟み、一九九一年のヒット作『大誘拐』もまた、間違いなく「内戦」映画と断じることができるだろう。誘拐された資産家の老婆が、逆に誘拐犯たちを手下にして警察やメディアを翻弄する話である。観客は、物語の最後になって、この映画がやはり「内戦」映画であったことを教えられる。

物語の最終盤、事件が一段落ついたあと、北林谷栄演じる刀自（とじ）が刑事に向かっていう。死期が

12―「邦画新作情報（近頃なぜかチャールストン）」（『キネマ旬報』五月下旬号、一九八一年）。

図6　住宅地での撮影風景　© TOHO CO., LTD.

迫ったことを悟り、莫大な相続税を思ったときのこと。

お国。お国って私には、何やったろう。愛一郎を奪い、静枝を奪い、貞好を奪い、それでも足りんと、お山まで奪うつもりや。ほなわたしの一生は何やったのか、そないなもんに奪われるための一生なんか。

事件は、「お国」なるものに対する戦いであったというのである。[13]

こうしたタネあかしもあり、この映画は、岡本喜八の集大成たる作品のひとつに相応しく、極めてわかりやすく「内戦」を描いている。テンポとおかしみ、そして哀しみ。そうした要素は全て、岡本「内戦」映画の洗練を示している。これは角川映画のパロディなのかと思わせるような、誘拐犯の若者役の俳優のベタで下手な演技も、岡本の演出上のテクニックにさえみえてくる。

また、この映画は「製作委員会」を用いた最も早い例なのではないか。インタビューで「今回の『大誘拐』製作委員会とはどういう組織ですか」と尋ねられ、岡本の代わりにプロデューサーのみね子夫人が要領よく応えている。

向こう［参加企業であるニチメン—引用者］の映画になるのはいやだから、五〇％以上他社のお金はいらないと突っ張ったわけ。配給も決まっているし、最初から合同企画したわけでないんだからということで。[14]

「内戦」映画を作り続けるために、映画制作をめぐる「内戦」も必要だったことは示してきたとおりだが、「製作委員会」もその答えのひとつなのであった。[15]『チャールス『激動の昭和史　沖縄決戦』では、子どもたちが「お国のために」と合唱していた。

13—一九九七年の庵野秀明との対談では、「それだけ言いたいために撮ったようなものだから」といっている（『映画監督岡本喜八対談集　しどろもどろ』ちくま文庫、二〇一二年）。

14—「岡本喜八インタビュー　要するに映画は積み重ねのモンタージュなんです」（インタビューアー・山根貞男）（『キネマ旬報』一〇四九号、一九九一年）。

15—製作委員会については、伊藤高史「日本映画産業における製作委員会方式の定着と流通力の覇権」（『ソシオロジカ』三八巻、二〇一四年）、あるいは若林直樹・山下勝・山田仁一郎・野口寛樹「凝集的な企業間ネットワークが発展させた映画制作の実践共同体」（『組織科学』四八巻四号、二〇一五年）参照。

トン』『大誘拐』の二作品では、ついに「お国」は戦う相手となったが、そのじつ、岡本「内戦」映画の系譜の中でいえば、それはむしろ「お国」がもう動かしがたいものであることを示すことであった。

住宅地を舞台に内戦を行う『チャールストン』とメディアを舞台に内戦を行う『大誘拐』とは、戦後世界の内戦としてのゲリラ戦において、それぞれ「都市遊撃戦」と「メディア遊撃戦」というべきものであったろう。「お国」の動かしがたさを前提に、せめてもの抵抗としての「内戦」のために新しい戦場を見出したということであった。

ただし、部分と全体を様々な分割線で描き、混沌や混乱それじたいを描いてきた「内戦」映画の意味論上の可能性は、ちょうどここで遣い切られたようにも見える。

おわりに——内戦と映画

思えば、「内戦」ではなく、「独立」が岡本の元々のテーマだったのかもしれない。ネガティブなネーミングであるはずの「愚連隊」に、「独立」をつけたことで、それが颯爽たる集団へと姿を変えた。その覚悟さえあれば、それは自由を意味するものになる、ということである。しかし「戦後」がかたちを整え、様々な領域で部分と全体の関係性が安定してゆくにつれ、「独立」は簡単なものではなく、それにあらがおうとして様々なかたちで「内戦」をしかけていったということであろう。そして最後にみた二作品は、「お国」が動かし難くなったあとにも「内戦」を継続するためのせめてもの工夫であったようにみえる。

もちろん、「内戦」映画とならずとも、物語に対立や分断、葛藤をいくつも用意するのは作劇上の基本中の基本である。けれども岡本の場合は、それが善悪で固定されず（善悪を単純化された形象において描くことに全く興味を示さず）、それらを全て相対的なものとして描き、部分と全体を構成し直してゆく運動として示してゆくような志向があったようにみえる。それを本論では「内戦」映画と名づけてきた。

岡本自身は自分の一連の作品を「内戦映画」とは表現していない。戊辰戦争を描くことには多少拘ったように思えるが、このような表現はしなかった。立ち位置が固定化してしまう「反体制映画」という（わかりやすい）言い方は岡本にとっておそらくもっとありえない。様々な人間の立場に理解を示してしまい、立場を固定しないままに、違和感を発露し（時にはそれを内面の問題として示し）続けることこそが岡本映画の本質であったといえる。

しかし、そう名付けてはいなくても、岡本は「内戦」的なものに終始惹かれてきた。証拠がもうひとつある。岡本が熱望しながら実現しなかった企画に『日本アパッチ族』（小松左京原作、一九六四年）があるというのである。この作品は、旧大阪砲兵工廠を根城にするアパッチたちと国家との壮絶な闘争を描くというものだ。ここで旧砲兵工廠は追放地であり、過酷だが自由な空間である。そしてその解放区に国家が挑んでくる……。岡本によれば、「昭和三十九年［＝『江分利満氏の優雅な生活』が公開された一九六四年―引用者注］から毎年、年中行事のように持ち込んでは却下され」、あまりのしつこさに五年目には（病院で）「診て貰え」とまでいわれたというものである。[16]

もしこの企画が採用されていれば、『肉弾』はもしかすると撮られていなかった、あるいはまた別の形になっていたかもしれない。その場合、岡本が自分の戦争体験を（というよりもそれをめぐる自らの内面を）さらすことなく映画を撮り続けることもできたかもしれないが、それが許されなかったというのであれば、自己責任において半ば私的に映画を撮ることを許すATGという仕掛けも含め、岡本の作品はいっそう多様な「内戦」映画として成立していったのであった。

このように、岡本作品は、作品の内外（内容と制作）にはりめぐらされた「内戦」の意味論によって枠づけられている。それは要するに、誰とともに何と戦うということなのであった。多様な矛盾に満ち、それゆえいまだにさまざまなファンを惹きつけてやまない岡本作品を、「内戦」映画としてみることで浮かび上がってくるものは確かにあるはずである。

16—岡本喜八「遊びごころの育ての親　私と推理小説」(『別冊中央公論』一九八一年七月二〇日＝岡本喜八『マジメとフマジメの間』ちくま文庫、二〇一一年所収)。

TSUKADA Shuichi

塚田修一

第5章 キハチの遺伝子

喜八映画の影響関係と戦争体験

〈取り上げる作品〉
『日本のいちばん長い日』『激動の昭和史　沖縄決戦』

戦争トイウ奴ハ、化物ノヨウニ巨大デ多種多面、何度齧リツイテモホンノカケラガポロリト落チルダケダ。シカシ機会アルゴトニソノ本質ニ刃向カッテエグリツヅケタイト思ッテイル。地球上ノドコカデ銃声ガ聞コエ、人間ノ血ガ流レ、日本ニモナニガシカノ不安感ガアル以上、戦争映画ニハ存在理由ガアルハズデアル。[1]

（「私の戦争体験と戦争映画」一九六七年）

1　キハチの遺伝子の発現

「私は好きにした、君らも好きにしろ」

庵野秀明が総監督を務めた映画『シン・ゴジラ』（東宝、二〇一六年）に、岡本喜八が登場する。「私は好きにした、君らも好きにしろ」というメッセージを残して姿を消した、生物学研究者、「異端の老教授」の牧悟郎の写真としてである。この岡本喜八の「起用」について、庵野は次のように述べている。

確か［二〇一五年］四月二三日のキャスト打ちで「牧元教授を誰にするか」が議題になった時にふと、喜八監督が頭に浮かんだんです。これは樋口監督もすぐに賛同してくれました。物語のキーパーソンで、なおかつ劇中写真だけの登場で僕らが納得出来る特別な方、となるとやはり喜八監督なんですね。特に本作では。[2]

この『シン・ゴジラ』以前にも、庵野秀明の手がけた作品における、岡本喜八映画へのオマージュはよく知られている。たとえば、『トップをねらえ!』（GAINAX、一九八八年）において、『激動の昭和史　沖縄決戦』（東宝、一九七八年）中のセリフである「船が七分に海が三分」が使用されたり、『新世紀エヴァンゲリオン』（GAINAX、一九九五～一九九六年）において、使徒の波長パターンとして表示される「BLOOD TYPE:BLUE」は、『ブルークリスマス』（東宝、一九七八年）の英題

1―「私の戦争体験と戦争映画」（『キネマ旬報』一九六七年八月下、No.446）五九頁。

2―庵野秀明企画／責任編集『ジ・アート・オブ　シン・ゴジラ』（カラー、二〇一六年）五〇九頁。［　］内は引用者補足。

から引用されている。さらに、庵野との「オタク夫婦生活」をコミカルに描いた安野モヨコ『監督不行届』（祥伝社二〇〇五年）では、『沖縄決戦』中の丹波哲郎の真似をする庵野が登場する（図1）。

　したがって、岡本喜八が庵野にとって「特別な方」であることはよくわかる。そこで、まず本章で考察したいのは「本作」すなわち『シン・ゴジラ』における、岡本喜八の映画との関係性である。それによって、岡本喜八作品が後続のクリエイターに与えた影響――いわば、キハチの遺伝子の発現――を観察したい。

図1　安野モヨコ『監督不行届』14頁

『シン・ゴジラ』との関係性を理解するために、まず考えなければならない岡本喜八作品は、『日本のいちばん長い日』（東宝、一九六七年）である。『シン・ゴジラ』の製作初期段階で、庵野がイメージしていたのがこの作品であるという。

――その時点［引用者註：二〇一三年六月の映画企画当初］で、『ゴジラ』作品以外にイメージしていたものはありますか？

庵野　知っている映画作品でいくつかこういう感じが良いなというのはあります。その中で強くイメージとしてあったのは『日本のいちばん長い日』（一九六七）など、岡本喜八監督が撮った戦争映画ですね。喜八監督のああいう邦画を作りたい、という願望はずっと心にありましたから。[3]

また、『日本のいちばん長い日』の Blu-ray 版に寄せた文章でも、庵野は次のように述べている。

大好きな写真（映画）です。この写真の面白さを子供の頃から幾度も体験していなかったら、『シン・ゴジラ』は別の描き方をしていただろうな、と思います。[4]

このように、庵野自身、岡本喜八作品の中でも特に『日本のいちばん長い日』をはじめとする戦

3―同上、四九二頁。
4―『日本のいちばん長い日』Blu-ray 版ブックレット。

争映画からの多大な影響を示唆しているのである。それでは、岡本喜八の戦争映画が、庵野に、そして『シン・ゴジラ』に与えた影響とはいかなるものであったのか。その内実を『日本のいちばん長い日』を中心に、具体的に考察しよう。

岡本喜八の「カット割り」

『日本のいちばん長い日』と、『シン・ゴジラ』の関係については、すでに春日太一が正確に指摘している。[5] まずは春日の指摘を導きとして、両作品の関係を考察してみよう。『日本のいちばん長い日』からの影響として最も特徴的なのは、『シン・ゴジラ』の「カット割り」である。それは、先の引用において、庵野が『日本のいちばん長い日』を「写真（映画）」と表現していることが示唆している。春日の指摘を引用しておこう。「岡本喜八作品の特徴は、とにかく映像をたくさん撮って、それを編集段階で物凄く短いカットに切って繋ぎ合わせていくことです。それにより、独特のスピード感が生まれていく。（中略）『シン・ゴジラ』も、短いカットがスピーディに展開されていきます」[6]。

事実、庵野は『シン・ゴジラ』以前に、岡本喜八との対談で、『新世紀エヴァンゲリオン』における「カット割り」とそれによる「テンポ」が、岡本の映画からの影響であることを、次のように語っている。

テンポは岡本さんの影響が直撃してますね。あれこそアニメに向いていると思うんですけどね、あのテンポ。カットを割るときの面白さです。カットの内容じゃなくて、カットが切り替わる瞬間の快感というのが岡本さんの写真にはすごくあると思うんですけど。[7]

そして、この庵野の発言からも分かるように、『日本のいちばん長い日』をはじめとする岡本作品からの影響は、『シン・ゴジラ』以前に、すでに自らのアニメーションにおいて生かされていた。興味深いのは、庵野が岡本の映画から「カット割り」を勉強していた、と語っていることである。

5—春日太一「『シン・ゴジラ』は岡本喜八の弔い合戦である」(『『シン・ゴジラ』をどう観るか』河出書房新社、二〇一六年)
6—同上、一七頁。
7—岡本喜八『しどろもどろ』(ちくま文庫、二〇一二年)二一三頁。初出は『アニメージュ』一九九七年一月号。

喜八さんの凄いところって、カットの持っていき方と、カットが切り替わった瞬間の気持ち良さだと思います。他の監督ではあまりありません。これは、アニメーションにも置き換える事が出来ると思ったので、凄く勉強していた部分です。[8]

これは庵野に限らない。庵野と同世代の多くのアニメーターが、『日本のいちばん長い日』から「カット割り」を学んでいたと考えられる。それは、岡本喜八が出版した『描いちゃ消し描いちゃ消し　岡本喜八の絵コンテ帖』（アトリエ出版社、一九八四年）という書籍があったからである（図2）。岡本は、『日本のいちばん長い日』の撮影に際し、脚本をもらってから撮影開始までに、準備期間が三カ月もあったこと、また撮影スケジュールが実数六〇日という長期間であり、普通作品の倍近い、二時間四〇分もの長尺の作品であったことから、二〇〇〇カットにも及ぶ絵コンテを作成していた。[9]撮影現場のスナップ写真では、岡本喜八が絵コンテを見せながら演出をつけていると思われる様子が確認できる（図3）。それらの絵コンテを書籍化したものがこの書籍である。そして当書は、白倉伸一郎が指摘しているように、アニメーターにとって「カット割り」を学ぶ格好の教科書であった。[10]実際、当書の発売当時には、アニメ専門誌においても、「日本映画において、撮影前に全カットの詳細な絵コンテが描かれることは少なく、ましてそれが一冊の本として出版されたのは快挙という他はない」として岡本のインタビューが掲載されている。[11]

このように、『シン・ゴジラ』のみならず、『新世紀エヴァンゲリオン』などのアニメーション、さらには多くのアニメーターにも大きな影響を与えていた岡本喜八作品であるが、その逆、つまりアニメーションから影響を受けていたことも注目に値する。「もともと、俺は漫画家になりたくて、そいでなれなくて、筆を折って映画監督になった方だから。ほら、漫画家の藤子不二雄さんの片方の――我孫子素雄サンとよくゴルフで一緒になるンだけど、彼なんか映画監督になりたくて、それで漫画家になった方だから――、ソノ辺がオモシロイね[12]」という岡本は、たとえば、『暗黒街の対決』について、「初めの所で、三船が鶴田に敵の組の人間だと思われてぶん殴られる。そのあと

8―岡本喜八『マジメとフマジメの間』（ちくま文庫、二〇一一年）三四五〜三四六頁。
9―岡本喜八『描いちゃ消し描いちゃ消し　岡本喜八の絵コンテ帖』アトリエ出版社、一九八四年）。
10―白倉伸一郎「ゴジラより大きな呪い」（『ユリイカ』二〇一六年一二月臨時増刊）。
11―『comic box Jr.』（一九八四年一一月号）四二〜四五頁。ちなみに同誌には、庵野秀明の連載「庵野秀明の匍匐前進」が掲載されており、図らずしも岡本と庵野は同誌上で「共演」を果たしている。

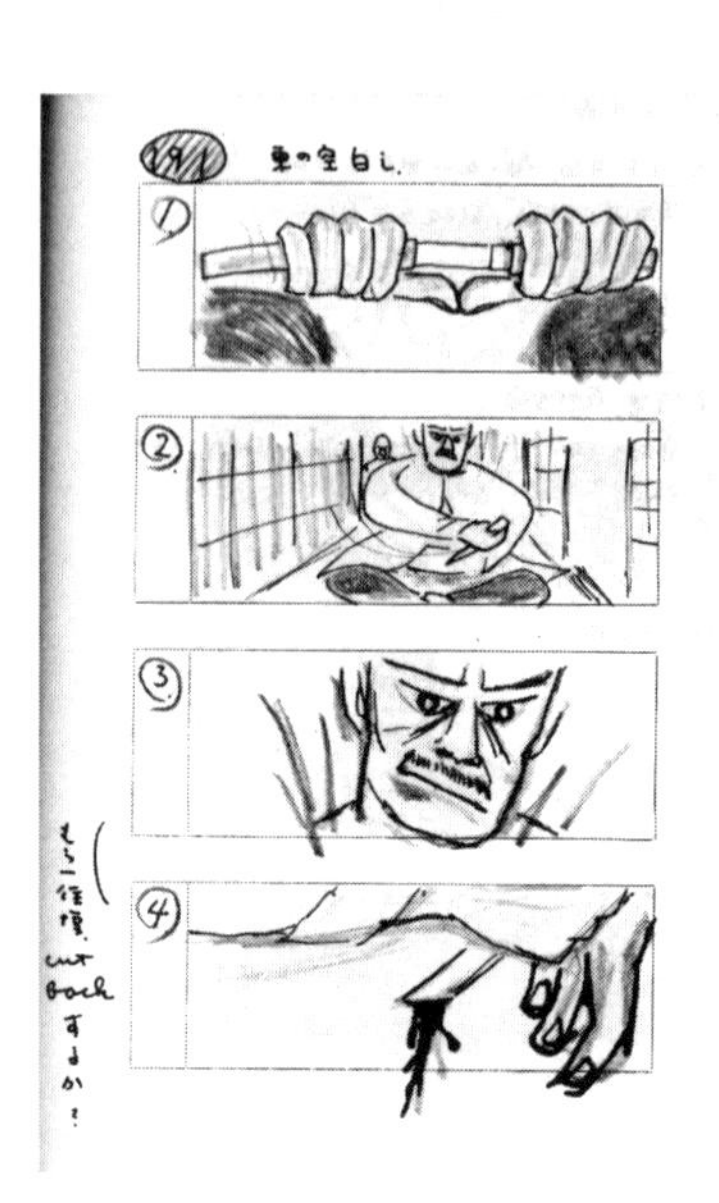

図2 『描いちゃ消し描いちゃ消し』36頁・369頁

地面を指先でパタパタ叩いて、ドナルド・ダックが三匹の甥にやり込められた時なんかに、憮然とした顔して指先でやってるのと同じ事をやってる」という指摘に対して、「マンガはかなり好きですね、ディズニーとか。あれはいろいろ使えるところもあるから―笑―」[13]と答えている。すなわち、岡本は、アニメーションから影響を受け、またアニメーションに影響を与えた（実写）映画監督なのである。

「岡本喜八が特撮映画を撮ったら」

さて、『シン・ゴジラ』への岡本作品の影響は、ここまで指摘してきた「カット割り」やそれによってもたらされる「テンポ」にとどまらない。『シン・ゴジラ』のストーリー自体にも、その影響が見て取れる。

『シン・ゴジラ』を、他の『ゴジラ』映画作品とは似て非なるものにしている特徴は、人間ドラマ

12―「岡本喜八監督インタビュー　ブルー・クリスマスは恐怖映画だ」（『まんが専門誌だっくす』一九七八年七・八月号）一六七頁。
13―『kihachi フォービートのアルチザン』一六二頁。

図3　『日本のいちばん長い日』絵コンテを見せながら演出する岡本喜八　© TOHO CO., LTD.

を排し、政治エリートたちによる意思決定過程をストーリーの中心に据えたことであろう。それゆえ、速水健朗は、『シン・ゴジラ』を「オペレーションルーム映画」と評しているほどである。[14] 特撮怪獣映画としてはいささか特異なその仕立てには、終戦をめぐる政府の意思決定過程をストーリーの中心に据えた『日本のいちばん長い日』からの影響を認めることができる[15]（図4）。また、庵野が「ビデオでのべ百回以上観ている[16]」という、『激動の昭和史　沖縄決戦』（東宝、一九七一年）からの影響も見て取ることができるだろう。この『沖縄決戦』もやはり、軍部首脳の意思決定過程がストーリー前半のメインであった。実際、庵野は『シン・ゴジラ』についてのインタビューで次のように答えている。

もともと僕は、どちらかというと粛々と変化する状況が客観的に描かれていて登場人物の主観的なドラマが少ない作品が好きなんですよ。東宝の戦記物『太平洋奇跡の作戦　キスカ』（丸山誠治監督・一九六五）、『日本のいちばん長い日』、『激動の昭和史　沖縄決戦』（一九七一）も個人のドラマとして過剰に情感などを描かないところも好きなポイントなんです。むしろ状況に対処する人々の動きそのものが葛藤や起伏となりドラマになっているのが良いんですね。[17]

『シン・ゴジラ』の撮影を担当した山田康介も、庵野の狙いを汲み、前半の官邸会議のシーンの撮影に際して『日本のいちばん長い日』や『沖縄決戦』を参考にしたという。[18]

そして、『シン・ゴジラ』において、巨大不明生物特設災害対策本部（巨災対）に召集されたメンバーが、「出世に無縁な霞が関のはぐれ者、一匹狼、変わり者、オタク、問題児、鼻つまみ者、厄介者、学界の異端児、そういった人間の集まり」であるというのも、いかにも岡本喜八的である。春日太一が述べているように、そうした設定は、『独立愚連隊』（東宝、一九五九年）を惹起させる。[19]

さらに、『シン・ゴジラ』においてテロップが多用されるのも、『日本のいちばん長い日』の影響

14―速水健朗「オペレーションルーム映画としての『シン・ゴジラ』」（『『シン・ゴジラ』をどう観るか』河出書房新社、二〇一六年）。
15―この点は、原田眞人による『日本のいちばん長い日』（二〇一五年）と決定的に異なる。原田版では、阿南惟幾や鈴木貫太郎の家族模様や、阿南と昭和天皇との心の交流が描かれている。
16―岡本喜八『マジメとフマジメの間』（ちくま文庫、二〇一一年）三四四頁。
17―庵野秀明企画／責任編集『ジ・アート・オブ　シン・ゴジラ』（カラー、二〇一六年）四九四頁。
18―同上、三一七頁。

図4　『日本のいちばん長い日』の「オペレーションルーム」　© TOHO CO., LTD.

であろう。庵野はすでに、OVA作品『トップをねらえ！』（GAINAX、一九八八年）において、このテロップの多用を演出手法として取り入れていた。当時のインタビューで、『トップをねらえ！Vol.3』におけるこの「テロップの多さ」を指摘された庵野は、次のように答えている。

それは、今回のベースに、岡本喜八さんがアニメを撮ったら、というのがあるからです（笑）。しゃべっている人間の顔を必ず写して、キャラがあまり動かずに切り返しがやたら多い。枚数食わずにおもしろく見せるには、と考えた手法なんです。だから、レイアウトにはかなり頭使ってます。〝特撮映画〟というのを凄く意識してますね。[20]

『トップをねらえ！』が、「岡本喜八がアニメを撮ったら」という仮想がベースとなっているのならば、数多の「キハチ的なるもの」を見いだすことができる『シン・ゴジラ』は、さしずめ「岡本喜八が特撮映画を撮ったら」という仮想がベースになっているといえるだろう。その意味で、『シン・ゴジラ』は、『特撮版：日本のいちばん長い日』なのである。

――しかし、ここで「岡本喜八が特撮映画を撮ったら」ということがあくまで仮想であることに留意しなければならない。すなわち、現実には岡本喜八は、後述する『激動の昭和史　沖縄決戦』

の一本を除き、特撮を使っていないのである。したがって、『シン・ゴジラ』と『日本のいちばん長い日』の間には――多大な影響関係にもかかわらず――特撮である／ないという逕庭が横たわっている。

2　岡本喜八はなぜ特撮を使わなかったのか

特撮で戦争を撮ること

それにしても、岡本喜八はなぜ自らの監督した戦争映画において特撮を使おうとしなかったのであろうか。岡本喜八は、『ゴジラ』シリーズで知られる東宝に所属し、また数々の『ゴジラ』シリーズを手掛けた田中友幸とも度々タッグを組んでいる。したがって、特撮とはかなり近い距離にいたはずである。しかし、岡本喜八は特撮をほぼ使っていないのである。[21] その理由についてはもち

19―春日太一「『シン・ゴジラ』は岡本喜八の弔い合戦である」（『『シン・ゴジラ』をどう観るか』河出書房新社、二〇一六年）。
20―『アニメV』（一九八九年七月号）四三頁、傍点ママ。

ろん、特撮についても、残念ながら岡本は何も語っていない。ならばここで、岡本が自らの戦争映画において特撮に消極的であった理由を推測してみることにしよう。

そもそも、特撮で戦争映画を撮る、とはどういうことであろうか。ここではまず、岡本喜八の盟友ともいうべき田中友幸の言説を手がかりとして考えてみよう。田中は、特撮の本質を「再現」という言葉で表現している。

――例えば列車の衝突、車同士の衝突、トンネル内での炎上、飛行機の遭難、自然現象……実際にこうしたものが撮れるかというと撮れない。そういうものを再現するのは特撮しかないんだ。[22]

実際には撮影困難な事物や出来事を、特撮技術によって「再現」すること。数多くの特撮美術を手がけた成田亨も、田中と同様の特撮理解を語っている。成田は、特撮映画のリアリズムは、自然の再構築であり、スクリーンに映ったものがリアルでなければならないことを明快に述べる。[23] 言い換えれば、特撮映画の根幹は、スクリーンにおける、出来事や事物の再現性や迫真性である、ということである。そこでは、「(実際には撮影困難な事物や出来事を) どれだけ再現できるか」が最大の賭金となっているのである。だから成田は、ある意味素朴に、特撮技術によって戦争を描きうると考えていた。

五十年以上のあいだに原爆をテーマにした映画を、私は何本か見てきましたが、見事に原爆を再現し得た映画を、残念ながら一度も見たことがありません。不可能を可能にし得る特撮技術でも、原爆は避けて通らなければならないほど難しいのです。しかし、唯一の原爆被爆国に住む日本人だからこそ、いつかはこの難問に挑戦しなければならないでしょう。生きているあいだは挑みつづけたい課題です。[24]

こうした田中友幸および成田亨のような特撮の思考／志向においては、戦争という出来事は、特

21―『別冊宝島　映画宝島　怪獣学・入門！』においても、岡本喜八について、「職人肌の技巧派で『日本のいちばん長い日』などの大作も手がけた東宝の看板監督だが、特撮ものを一本も撮っていないというのは意外」（一二二頁）と評されている。

22―「田中友幸　大いに語る」（『キネマ旬報』一九八三年四月下、No.857）九五頁。傍点は引用者。

23―成田亨『成田亨の特撮美術』（羽鳥書店、二〇一五年）一九〜二〇頁。

24―同上、一七八頁、傍点は引用者。

撮技術によって「再現されるべきもの」となるのである。

唯一の特撮使用作品

次に、岡本喜八が監督した戦争映画のうち、唯一特撮を使用した作品である『沖縄決戦』において、具体的にどのように特撮が使われているのかを確認してみよう（図5）。この映画においては、大きくふたつの事物を描写するために、ミニチュアを使った特撮が使用されている。ひとつは、義烈空挺隊の爆撃機の飛行シーン、もうひとつが戦艦大和の沖縄特攻シーンである（図6・7）。すなわち、空戦と海戦なのである（この特撮の様子は、『激動の昭和史　沖縄決戦』の Blu-ray の特典映像でも観ることができる）。この作品において、空戦と海戦に特撮が使用された理由は明らかである。それは予算が限られていたからである。

——これは、金がね、八・一五シリーズを謳う割にはもう駄目だったんですよね。[25]

この予算の制約から、『沖縄決戦』ではいわば消極的に特撮に頼らざるを得なかったのである。[26]岡本にとって、特撮の位置付けは、その程度のものであった。

しかし、『沖縄決戦』において、その予算の制約の割に、岡本喜八がこだわりを見せるのが陸戦である。たとえば、四章で野上元も指摘しているように、予算が逼迫しているにもかかわらず、岡本はマブニ撤退のシーンにおいて、土砂降りの中を必死に負傷兵たちが這って行く演出にこだわっている。[27]また、米軍の戦車の撮影に際しては、自衛隊の協力を得て、実物のM-41とM-4シャーマンが使われており、炎上するシーンでは実物大のセットが使用されている。[28]岡本喜八の陸戦の演出へのこだわりは、この『沖縄決戦』に限らない。『独立愚連隊』や『血と砂』、そして『肉弾』にお

25―『kihachi フォービートのアルチザン』一八二頁。
26―東宝の空戦映画については、『別冊映画秘宝　東宝空戦映画大全』(洋泉社MOOK、二〇一一年)に詳しい。
27―「マブニの撤退(のシーン)を雨降らせないでやってくれっていう訳。「なんで」って言ったらね(撮影に)三日間見込んで、夜、しかも雨降らせると、予算が収まらないと。でも俺は、月夜に皆撤退して行くのと、土砂降りの中を必死に負傷兵やらが這って行くのと、どっちが絵が(いいか)。実際でも、そうだったんです。事実に即したらそうなっちゃう。で「俺は雨でやるよ。その代わり、一番最後に回してくれ」と。実際、一晩で撮っちゃった」(『kihachi フォービートのアルチザン』一八二頁)
28―『別冊映画秘宝　戦艦大和映画大全』(洋泉社MOOK、二〇一〇年)七八頁。

図5　『沖縄決戦』特撮風景　© TOHO CO., LTD.

図6　特撮による爆撃機の飛行シーン　© TOHO CO., LTD.

図7　特撮による戦艦大和の沖縄特攻シーン　© TOHO CO., LTD.

いても、陸戦や陸軍兵が活写されている。

こうした岡本喜八の「特撮への消極性」と、「陸戦・陸軍兵へのこだわり」は、おそらくは表裏一体である。

岡本喜八の陸戦および陸軍兵へのこだわりを理解するには、岡本喜八自身の戦争体験を紐解かなければならないだろう。すでに本書でも山本昭宏、福間良明が記述している通り、二〇歳で陸軍に召集された岡本は、松戸の工兵学校、および豊橋の予備士官学校に陸軍幹部候補生として八カ月所属し、戦地に行くことなく終戦を迎えた。豊橋の予備士官学校時代、岡本は次のような体験をしている。

B29の爆撃にあって、二五〇キロの爆弾を三〇メートル横に落とされたことがあったんですよ。ほんの一瞬でしたが、ぼくの一メートル後ろにいた軍友は、首の動脈が切れて血が噴き出して「止めてくれ!」といっている。あわてて押さえても、止まりゃしませんよ。ズボッと胸に穴が空いたヤツもいれば、手足が落ちたヤツもいて……。さっきまで猥談なんかして、いっしょに笑っていた人間が、こんな姿になってしまう。結局、三〇人のうち生き残ったのはたった三人でした。[29]

この戦争体験こそが岡本喜八を戦争映画にこだわらせることになる。

「どうして、そう戦争にこだわる?」といったような質問をよく受ける。ひと言で答えると、「ささやかな戦争体験だったけど、私にとっては痛烈だったから」ということになる。[30]

そして、自らは戦地に行くことがなかったがゆえに、岡本喜八は戦場の陸軍兵士への連帯意識を語るのである。

バカバカシイことは終った。終ったから早いとこ忘れちまえよと肩を叩かれてもそうはいかない。砲煙弾雨とドコマデツヅクヌカルミゾの中に居た兵士たちはなおさらだ。彼等に比べれ

29—「「暑い夏」の戦後史」(『女性セブン』一九九五年八月二四・三一日)二四三頁。
30—岡本喜八『マジメとフマジメの間』(ちくま文庫、二〇一一年)一一~一二頁。初出は「NOMAプレスサービス」一九八〇年九月五日号。

ば我々ははるかにハイソサイエティだった。エエトコノボンだった。エエトコノボンのまま生き永らえたからせめて彼等と一緒くたになってヒトコト叫びたかった。[31]

岡本喜八の陸戦および陸軍兵へのこだわりの背景には、このような自身の戦争体験が存在している。そうであれば、岡本喜八が自らの撮った数多くの戦争映画において特撮を使わなかった理由が推測できるだろう。上述のような戦争体験を有する岡本にとって、戦争は、「再現されるべきもの」、あるいは「再現の精度によってその真実に迫りうるもの」などでは決してなかった。岡本にとって、戦争とは「化物ノヨウニ巨大デ多種多面、何度齧リツイテモホンノカケラガポロリト落チルダケ[32]」という存在であったのである。

『沖縄決戦』の公開時に、映画評論家から批判が向けられている。たとえば竹中労は、この映画の「リアリティのなさ」や「再現の精度の低さ」を次のように批判する。

戦火が奪ったもの、すなわち日本（ヤマト）の帝国主義・軍国主義が来り姦したものは、いったい何であったのか、新藤、岡本にはまるで判っちゃいないのである。（中略）一九七一年、沖縄民衆をエキストラとしてしか使わず、加山雄三、天本英世、滝田裕介といったおよそ沖縄（ウチナー）の風貌から遠い役者たちに〝現地人〟を演じさせ、りゅうちょうな標準語を喋舌らせて平然たる「沖縄決戦」に、私は滑稽感よりもむしろ深刻な怒りを抱く。[33]

この批判は、岡本喜八にとって的外れなものであったと言わざるを得ない。既に見てきたように、岡本喜八は、戦争の再現性（リアリティ）など志向していないからである。

3　戦争を知らない世代からの擁護

戦争非体験者としての自己認識

このように、公開当時は批判に曝されもした『沖縄決戦』であるが、一九九五年に、「戦争を知らない世代」である庵野秀明によって擁護される。――もしかすると、庵野は岡本喜八の『沖縄決

31―同上、五二頁。初出は『キネマ旬報』一九六三年八月下旬号。
32―「私の戦争体験と戦争映画」（『キネマ旬報』一九六七年八月下、No.446）五九頁。
33―竹中労「日本映画横断その八　邦画五社どこへ行く(三)史上最低の「沖縄決戦」」（『キネマ旬報』一九七一年九月一日号、傍点原文ママ）。

戦』に向けられた批判を知っていたのかもしれない。やはり庵野もこの作品の「アラ」を指摘する。[34]
だが、続けて庵野は、次のようにこの映画を擁護するのである。

その場にいる人間をヒューマニズムをかざす事せず、感情に溺れる事もなく、ディティールとして捉えた本作品の視点は、知りもしない「戦争」という言葉でしか知らない漠然としたものを、我々により具体的に真実味を持って伝えているのではないだろうか。戦争を知らない世代の私は、渡嘉敷の集団自決のシーンで十二分に「戦争はいやだな」と感じた。これで本作品の意図は果たしているのではないかと思う[35]

ここで興味深いのは、庵野が『沖縄決戦』の擁護に、自らの「戦争を知らない世代」を持ち出していることである。庵野は、岡本喜八の戦争映画について、次のようにも語っていた。

喜八監督の中では、アクションものと戦争ものが一番好きなんですけれども、特に戦争ものは体験した人じゃないと描けないというところが、やっぱり自分には無理なので、そういうところにも惹かれます。[36]

戦争映画も好きなんですよ、東宝の。でも、戦争映画もまた、僕らには撮れないものですね。出来るものなら撮ってみたい気持ちはあるんですが、やはり難しいですね。本物の戦争を知らないので。生半可なものは作っちゃいかんと思うし。史実を元にしたモノではなく、似非のモノにしかならないですね。[37]

このように庵野は、戦争を体験していない自分には、戦争映画を撮ることができないことを繰り返し吐露する。そして、そうであるがゆえに、庵野は、戦争体験者である岡本喜八の撮る戦争映画

34—「アラを探せば、沖縄方言ではなく標準語をしゃべる現地人、どうみても伊豆にしか見えない海岸、予算が不充分だとはいえ日米併せて三〇人程度しか画面に写らない白兵戦、日本兵による沖縄県民への暴挙の欠如等、「ありったけの地獄をよせあつめた」と聞く「沖縄戦」を描くには、「嘘」と感じる所も確かにある」(『激動の昭和史　沖縄決戦』LDライナーノーツ(Blu-ray 版付属の解説に再録))。

35—『激動の昭和史　沖縄決戦』LDライナーノーツ(Blu-ray 版付属の解説に再録)。

36—岡本喜八『マジメとフマジメの間』(ちくま文庫、二〇一一年)三四八頁。

37—「「怪獣」という存在の耐用年数」(『文藝別冊』二〇〇一年八月)一七一頁。

に憧憬を抱き、また評価するのである。岡本喜八と庵野秀明の間に横たわっているのは、戦争体験がある／ないというさらなる逕庭である。

怪獣映画が撮れない世代

ここで「戦争非体験世代には、戦争映画が撮れない」という庵野の自己認識を確認したのは、同様の論理から、庵野は、自分たちの世代が「描くべきものが何もない世代」であること[38]、そして「怪獣映画が撮れない世代」であると発言しているからである。

> 最初のころ作られていた怪獣なり巨大ヒーローってのは、何らかのメタファーであるわけですよ。（中略）作ってる人たちのメタファーというか、願望や怨念みたいなものが、怪獣なり巨大ヒーローなりに託されていると思います。そこがオリジナルの圧倒的な強さだと思います。今はそういうのがなくなってる感じがします。僕らの世代にはそういうのは、ないような気がします。今はウルトラマンはウルトラマンのメタファーでしかない。怪獣は怪獣のメタファーなんですね。いわゆる「ごっこ」の延長でしかないんだと思います。[39]

ここで登場した「メタファー」という述語について確認しておこう。メタファー（隠喩）とは、類似性に基づくレトリックであり、またその表現がひとりよがりにならないためには、その類似性が語り手と聞き手の間にまえもって共有されていなければならない。[40] それでは、初代『ゴジラ』（東宝、一九五四年）は何のメタファーであるのか。言うまでもなく、その答えは「あの戦争」、そして「原水爆」である。そのことは、これまで多くの論者が指摘してきたことである。たとえば木原浩勝は、『ゴジラ』において、監督の本多猪四郎や、特撮技術を担当した円谷英二が見せたかったことが、何よりも東京大空襲の再現であることを説得的に論じている。[41] 実際、次のシーンは、明らかに東京大空襲を想起させる。

38—村上隆との対談において、庵野は次のように述べている。「日本で僕らの世代だから、……言ってしまえばヘナチョコなものしか作れなくなっているんだと思うんです。ほかの国の監督の作品を見ると、背負っているものが全然違います。やっぱり、僕らはすごい軽い土壌に生きている。日本人って戦後、何もなかったんだと改めて思い知らされます。描くべきものが何もないというか」（『広告批評』二〇〇〇年一二月）一〇〇頁。

39—「「怪獣」という存在の耐用年数」（『文藝別冊』二〇〇一年八月）一六八頁。

40—佐藤信夫『レトリック感覚』（講談社学術文庫、一九九二年）。

41—「ゴジラ映画はいかに演出されたか」（『文藝別冊』二〇〇一年八月）。

頭上の窓から火が吹き出ているにもかかわらず、デパートの入口にうずくまって動かない親子がいる。

両わきに、しっかりと三人の子供を抱えて、降りそそぐ火の粉の中に、祈るようにつぶやく母親。

「お父ちゃまの所へゆくのよ、ね、もうすぐお父ちゃまの所へゆくのよ……」[42]

また、初代『ゴジラ』のプロデューサーでもあった田中友幸は、『ゴジラ』のアイデアを、次のような状況において思いついている。

インドネシアとの合作での映画製作を企画し、準備を整えてロケ機材をジャカルタに送り込んだが、スタッフのビザが交付されなかった。当時、賠償問題が難航し、深刻な政治上のトラブルとなっていたためである。結局、その撮影は断念せざるを得なくなった。


日本への帰路、飛行機のなかでいろいろと考えた。意気込みが大きかったので、失望もまた大きかった。八年経っても残る戦争の傷の深さを、しみじみと感じさせられた。(中略)丁度

少し前の三日（三月の誤植か）一日、人類最初の水爆実験が行われ、漁船「福竜丸」が被爆している。そんな事が本当に起こったとは思えない静かな海を帰りの機上から眺めていて、ふと閃いたことがあった。私は、前から「キング・コング」のような作品をやってみたいと思っていた。だが、動機がなかった。怪物出現の設定が思いつかなかったのである。水爆実験で海底に眠っていた恐竜が目醒めて、東京に上陸して暴れまくる、つまり人類が、自ら創ったものに復讐を受ける、という設定ならいけるかもしれない……。[43]

こうして構想されたのが初代『ゴジラ』である。そして、ゴジラが原水爆のメタファーであることは、作中で次のようにはっきりと語られている。

尾形は決然として、

「先生！　だからと言って、あの狂暴な水爆の落し子を、あのまま放って置くわけにはゆきま

42―香山滋『ゴジラ』（ちくま文庫、二〇〇四年）二二四～二二五頁。
43―「我等の生涯最良の映画② プロデューサーの誇り「ゴジラ」」（『キネマ旬報』一九八四年四月下旬）一四三～一四四頁。

せん！ ゴジラこそ、我々日本人の上に、今もなお覆いかぶさっている水爆そのものではありませんか！」[44]

このメタファーは、ゴジラと水爆の類似性に基づいているが、その類似性は当時の観客にも強く共有されていたはずである。田中も述べていたように、公開の半年前に、ビキニ環礁において行われた米国の水爆実験により、マグロはえ縄漁船の第五福竜丸が「死の灰」を浴びるというビキニ事件が起こっており、日本国内で原水爆への不安が高まっていたからである。[45]

こうしてゴジラは、戦争体験者たちの手によって戦争および原水爆のメタファーとして作り出された。そうであるがゆえに、その戦争のメタファーであるゴジラを、戦争非体験者が引き受けることの困難を庵野は認識していた。したがって、戦争非体験世代であり、「描くべきものが何もない世代」である自分たちには、この初代『ゴジラ』を超えることは出来ない、と庵野は言い切っていたのである。

「『ゴジラ』や『ウルトラマン』の」オリジナルを超えることは僕らには無理な気がしますね。それ程、人間が出来ていない。これは今の日本全体にいえることだと思います。ひょっとしてアメリカもそうかもしれないですけど。やはり、オリジナルを作った世代の人たちには何かかなわない感じがしますね。それはそれで口惜しくて、何とかしたいんですけど。いや、難しいです。自分たちがやってることは何か、縮小再生産の感があります。[46]

このように、二〇〇一年時点では、ゴジラという戦争のメタファーを引き受けることの困難を語っていた庵野は、この発言の一五年後に『シン・ゴジラ』を撮る。では、庵野はいかにして『シン・ゴジラ』を撮ることができたのか。

それは、まず何よりも「あの戦争」に比肩するような出来事をこの日本社会が経験したからである。そして、「ゴジラ」という存在が、「戦争」や「原水爆」に代わる何か、、、、のメタファ、、、ーとして機能するようになったからである。いうまでもなく、それは二〇一一年三月一一日に起こった東日本大震災と原発事故である。

44—香山滋『ゴジラ』(ちくま文庫、二〇〇四年)一一五頁。
45—山本昭宏『核と日本人』(中公新書、二〇一五年)。
46—「「怪獣」という存在の耐用年数」(『文藝別冊』二〇〇一年八月)一六八頁。

あとは「三・一一」東日本大震災と福島で起こった原発事故です。津波の被災地もその年の五月と七月に行って惨憺たるさまを見ていた自分の気持ちや、原発事故への対応というか官邸と東電、事故の当事者に何が起こっていたのかを知りたいと思った事とかですね。何というかそういう色々な自分自身の中での積み重ねもあって、官邸を中心とした物語なら僕でもゴジラという作品を描けるんじゃないかなと、ふと思ったんです。[47]

こうして庵野は、戦争のメタファーである初代『ゴジラ』に対し、三・一一のメタファーとして『シン・ゴジラ』を撮ることができたのである。

4 戦争映画としての『シン・ゴジラ』

岡本喜八からの挑発

ここまで検討してきたように、戦争非体験者である庵野によって、戦争ではなく、原発（事故）のメタファーとしてのゴジラを表現した特撮映画が『シン・ゴジラ』である、ということができる。

しかし、そうであるならば、『シン・ゴジラ』と、岡本喜八が撮ってきた映画との間には、もはや大きな逕庭があることになるのではないか。すでに確認したように、戦争体験者である岡本喜八は、特撮を使わずに、戦争映画を撮ってきたのであるから。

それでも、庵野が『シン・ゴジラ』において、岡本喜八を「起用」したのはなぜだろうか。また先に見たように、庵野が『シン・ゴジラ』企画の際に、何よりも岡本喜八の戦争映画をイメージしたのはなぜだろうか——。この庵野の岡本喜八への、そしてその戦争映画への（過剰とも言える）執着が示唆しているように思えるのは、庵野は『シン・ゴジラ』において、戦争をも描こうとしていたのではないか——つまり、『シン・ゴジラ』は、特撮を使った戦争映画なのではないか、ということである。奇しくも、岡本喜八は戦争を「巨大デ多種多面ナ化物」——形態を変化させる庵野のシン・ゴジラを彷彿とさせる——になぞらえていた。そして、庵野は『シン・ゴジラ』完成報告会見において、「怪獣映画としての面白さが集約されている」初代『ゴジラ』に少しでも近づこうとしたこと、またゴジラの目に徹底的にこだわったことを語っている。[48] その目は下、つまり地上を

47―庵野秀明企画／責任編集『ジ・アート・オブ　シン・ゴジラ』（カラー、二〇一六年）四九一頁。

見ているが、下を見ているゴジラは初代『ゴジラ』と『シン・ゴジラ』だけである。なぜなら、その他のゴジラには対戦怪獣がいるために、前方を見ざるを得ないが、初代『ゴジラ』と『シン・ゴジラ』の相手は地上の人間だからである。『シン・ゴジラ』もやはり、初代『ゴジラ』同様に、ゴジラという存在を、この国の人間に降りかかる災厄＝戦争として構想していたのである。

ただし、そうであるとすれば、これは、先に見たように「戦争非体験者には、戦争映画は撮れない」という認識を示していた庵野にとって、挑戦的な試みということになるだろう。だが庵野は、この「戦争映画を撮ること」を、「戦争トイウ巨大ナ化物」に「刃向カッテエグリツヅケタ」岡本喜八からの挑発として受け止めたのではないか。——「俺は好きなように戦争映画を撮った。君はどうするのか」と。牧悟郎博士の遺した、「私は好きにした、君らも好きにしろ」という言葉は、そのように解釈したくなる。

では、庵野はいかにしてこの挑発に応答したのか。すなわち、『シン・ゴジラ』においてどのように戦争に迫ろうとしたのであろうか。まず、庵野は初代『ゴジラ』に倣い、ゴジラを戦争のメタファーとして描こうとしていた。実際、『シン・ゴジラ』の製作初期のプロットでは、次のように構想されていた。

冒頭に米国の実験船で事故があったために、米国がゴジラを作ってしまう話になっていました。ゴジラ誕生の原因として「人間が起こした事件か事故」が欲しかったんですね。やはり戦争のメタファーとしても描きたいと思っていましたから。先にも話しましたが、初代ゴジラの誕生の原因に核実験があり、かなり直接的に科学の悲劇と戦争のメタファーを兼ねていました。核廃棄物だけでは戦争のイメージには間接的過ぎる印象がありました。だから、特殊な生物を見つけた人間がいて、目的は生物兵器か何かわからないにせよ、人間が手を加えていった結果がゴジラだと。[49]

しかし、戦争体験を有する作り手たちが初代『ゴジラ』でおこなったような、戦争のメタファーとしてゴジラを描く、というこうしたプロットは、製作の途中で大幅に変更されることになる。ただしそのことは、庵野が『シン・ゴジラ』において戦争を描くのを放棄したことを意味するわけで

48―『シン・ゴジラ』Blu-ray 特別版三枚組所収の特典映像より。
49―庵野秀明企画／責任編集『ジ・アート・オブ　シン・ゴジラ』（カラー、二〇一六年）四九六頁。

はない。庵野は『シン・ゴジラ』において、メタファーとは別の表現によって、ゴジラを、そして戦争を描いてみせるのである。

戦争のアレゴリーとしてのゴジラ

『シン・ゴジラ』において庵野は、戦争のメタファーとしてではなく、戦争のアレゴリーとしてゴジラを描くのである。「アレゴリー」とは、辞書的には「寓意」、すなわち「ある意味を直接表さず、別の物事に託して表すこと」を意味する。しかしここでは、この術語をよりパフォーマティブな意味で捉えておきたい。鈴木智之は、アレゴリーを、記号的秩序を食い破るようにして唐突に現れ、そこに過剰な意味を集約させようとする形象であると定義し、一九九〇年代の表象と事件を考察している。[50] この定義を借り受けるならば、庵野が『シン・ゴジラ』において描いたゴジラは、戦争のメタファーではなく、アレゴリカルな存在である。それは、何の理由も脈絡もなく日常生活に出現し、理不尽なまでの圧倒的な暴力で現実（ニッポン）を蹂躙する。実際、庵野は『シン・ゴジラ』のプロットの構想を練る会議において、「ゴジラが東京にやってくる理由が必要だ」とする東宝のプロデューサーに対し、「別にゴジラが何を考えているのか、むしろ人間に分からないほうがいい」と主張したという。[51]

この、戦争のアレゴリーとしてのゴジラという表現は、「戦争を知らない世代」にこそ可能な表現であると言えるだろう。初代『ゴジラ』がそうであったように、戦争体験者にとっては、ゴジラはどうしても戦争のメタファーにならざるを得ないからである。

そして、この「戦争のアレゴリーとしてのゴジラ」という表現は、庵野の、特撮についての認識によってこそ可能になっている。ここで、庵野の特撮認識を確認しておこう。「特撮ファン」として、成田亨らの特撮表現を享受してきた庵野は、彼ら先達の、「撮影困難なイメージを再現する手段」としての特撮表現を、「リアルに感じさせる画面づくりの手段」であるとして――これは先に見た、成田亨の思考／志向を正しく理解している――手放しで称賛している。[52] そのうえで庵野は、次のように自身の特撮認識を語っている。

50―鈴木智之「アレゴリカルな暴力の浮上」(鈴木智之・西田善行編著『失われざる十年の記憶』青弓社、二〇一二年)。
51―庵野秀明企画／責任編集『ジ・アート・オブ シン・ゴジラ』(カラー、二〇一六年)四九四頁。
52―『館長庵野秀明 特撮博物館』図録：一〇。

特撮のいいところは、なんといっても現実と空想の融合した世界を描けるところですね。これはアニメーションではつくれない世界です。アニメは全部つくりものなので、最初から記号で構成されている世界です。どんなに現実的なものをそこに入れ込もうとも、やはり最初からつくられた世界なんです。全てが人のイメージで構成することができる「実際にはない世界」で、それはアニメーションでは当たり前のことです。（中略）特撮は、現実感の中にアニメと同じ発想の「現実にはないイメージ」を紛れ込ませることができるんです。現実を切り取った空間の中に、現実ではない空想を融合させられるんです。その異種感覚というのはすごくいいなと。[53]

このように庵野は、成田亨らから、いわば「特撮の遺伝子」を引き継ぎつつも、それを、「撮影困難なイメージの再現」から、「現実を切り取った空間の中に、現実ではないものを融合させる手法」へと変異させている。この特撮認識によって、『シン・ゴジラ』における「戦争のアレゴリーとしてのゴジラ」という表現が可能になったのである。[54] 庵野は『シン・ゴジラ』完成報告会見において、次のように発言している。「怪獣が出てくる映画の面白いところというのは、現代社会、現代の世界に、異物っていうんですか、なんか全然違うものが現れた時の面白さだと思うんです。それは特撮映像でなければできない世界観だと思います」。

また、『シン・ゴジラ』においては、従来の『ゴジラ』シリーズのような着ぐるみを使った特撮ではなく、フルCGによる特撮によってゴジラが描かれていることも重要である。庵野は『シン・ゴジラ』完成報告会見において、フルCGでゴジラを描いた意図として、「CGの持っている人間的でない部分を生かそうとした」こと、そして「なるべく（ゴジラの）人間的な意図とか意思とか、そういうものは削り取るようにして描いている」ことを述べている。このCGによる特撮により、まさにアレゴリカルな存在としてゴジラが描かれているのである。

岡本喜八が自らの戦争映画において使わなかった特撮。その「特撮の遺伝子」を庵野の手で変異させることによって成立した戦争映画が『シン・ゴジラ』なのである。

53―同上。

54―特撮によるアレゴリカルな形象の表現は、二〇一二年に開催された『館長庵野秀明 特撮博物館』展において公開された短編映画『巨神兵東京に現わる』においてすでに試みられていたのかもしれない。この作品では、日常生活に突如巨神兵が現れ、東京を蹂躙する。

5 キハチの遺伝子の行方

ここまで、庵野による『シン・ゴジラ』から観察してきたのは、「キハチの遺伝子」の発現、そして「特撮の遺伝子」の変異とそれによる「戦争」の描出である。言い換えれば、庵野の手によって「キハチの遺伝子」と「特撮の遺伝子」が結び付いて産み出された「戦争映画」こそが『シン・ゴジラ』なのである。

そう考えるならば、『シン・ゴジラ』から、庵野の戦争観を読み取ることも可能だろう。「ヤシオリ作戦」によって凍結し沈黙したゴジラを見ながら、矢口（長谷川博己）はカヨコ（石原さとみ）にこう言う。「日本、いや人類はもはやゴジラと共存していくしかない」。庵野にとって、戦争（のアレゴリーとしてのゴジラ）は人類の手によって消滅させられたり――初代『ゴジラ』では「オキシジェン・デストロイヤー」によってゴジラは消滅したが――、また地球上から完全に排除できるものではもはや無い。それは、地球上から無くなることのない、人類が共存していくしかない「不安」としてあるのだ。興味深いことに、庵野のこうした戦争観は、岡本喜八の戦争観および戦争映画観に、どこか漸近しているように見える。本章のエピグラフに掲載したように、岡本喜八は戦争を「巨大で多種多面な化物」と表現し、「地球上ノドコカデ銃声ガ聞コエ、人間ノ血ガ流レ、日本ニモナニガシカノ不安感ガアル以上、戦争映画ニハ存在理由ガアルハズデアル」と書いていた。

戦争体験を持たない世代の庵野が、戦争（への想像力）を表現した『シン・ゴジラ』。その製作は、戦争体験がある／ないという、岡本喜八と庵野との間に横たわっていた決定的な差異――すでに見たように、庵野は、「戦争ものは体験した人じゃないと描けないというところが、やっぱり自分には無理なので」と発言していた――を解除する作業となっていると言えよう。だから、岡本喜八からの「俺は好きなように戦争映画を撮った。君はどうするのか」という挑発に対して、庵野は、こう応答したのではないか。「僕はゴジラで戦争映画を撮りました。どうでしょう、喜八さん」と――。

そして、いわば庵野流の「キハチの遺伝子」の受け継ぎ方が示されているこの『シン・ゴジラ』以後に岡本喜八の戦争映画を観るとき、もはや私たちも、「キハチの遺伝子」をどのように見出し、どう受け止めるのか、またそこから「戦争」をどのように想像するのか、といったことに無意識ではいられないのではないか。牧悟郎＝岡本喜八から、「俺は好きなように戦争映画を撮った。君らはそれをどう観るのか」と挑発されているような気がしてくるからだ。「キハチの遺伝子」の行方は、私たちの手にも委ねられており、私たちの好きにしてよいのである。

YAMAMOTO Akihiro

山本昭宏

〈取り上げる作品〉
『ブルークリスマス』

終章

青い血とコロナウイルス

軍事とメディアによるスペクタクル

何も出来ずに
怒りもせずに
生きているのは罪だろか
我が友よ　我が友よ
夢みるな　夢みるな
震えて眠れ

（『ブルークリスマス』作中で「血液総点検法案」に反対するデモ行進に重なる合唱）

1　コロナウイルス問題と軍事

もし体調を崩し、検査を受けて陽性だった場合、自分はその公表を躊躇するだろう――外出時にはマスクがないと、周囲の視線を集めているような気がする――営業自粛「要請」に応じない事業者のもとには、批判のメールが相次ぎ、自治体も「名前を公表する」というかたちで、社会的制裁を加えようとする。なんだか息苦しいが、みんな我慢しているんだ――

新型コロナウイルス（COVID-19）問題に揺れる世界で、一度はそう考えた人は多いのではないだろうか。

二〇二〇年四月七日に七都道府県に対して発令され、一六日に対象を全国に拡大した緊急事態宣言下の日本社会では、統治する側とされる側が手を取り合いながら、「人間の命」を盾に同調圧力を一時的に強めた。「国民としての自覚」を持つことを要請された人びとのなかには、自粛に従わない個人や集団をSNSを通して指弾する者があらわれ、マス・メディアもそれに追随した。医療従事者への感謝が求められ、航空自衛隊のブルーインパルスが東京の都心上空を飛行して感謝を表明した。しかし、七月末に感染者数が再び急増すると、今度はコロナウイルス下での「新たな日常」が提唱されるようになった。感染経路を把握するために接触確認アプリの導入が呼びかけられるようになった。さらに八月には全国知事会が国に対して、休業要請に応じない事業者への罰則を含めた対策強化を要望した。公衆衛生を理由に、（国ではなくて）知事たちが率先して人権への制約を求めたようにみえる。

本書の取りまとめ作業の終盤に起こったコロナウイルス問題のなかで、岡本喜八の監督作『ブルークリスマス』（東宝、一九七八年）を改めて鑑賞した。第五章の塚田論文でも触れられていたように、この映画は『新世紀エヴァンゲリオン』で使徒の波長パターンとして表示される「BLOOD

TYPE:BLUE」の引用元として知られる。

本書では、戦争をスペクタクル（見世物）として描いた岡本喜八の作品について、思想史と社会学の視点から論じてきたが『ブルークリスマス』もまた、同様の問題意識で論じることができるだろう。ただし、終章では、対外戦争のスペクタクルではなく、「統治の手段としての軍事のスペクタクル」という観点を重視する。アメリカのトランプやフランスのマクロンは「ウイルスとの戦い」を「戦争」と呼ぶことで危機意識を醸成し、国民の協力を呼びかけたが、そうした非常事態の統治のありかたを念頭に置きつつ、『ブルークリスマス』が現代の起点として一九七〇年代後半の日本社会を的確に捉えていたことを論じたい。

2　『ブルークリスマス』の梗概

『ブルークリスマス』は、ＵＦＯに遭遇した人間の血が青くなるというＳＦ的発想に基づく映画である。ただし、ＳＦ的な装置はまったく使用されず、むしろ未知の存在に対応する政治エリートと、それに翻弄される人びとを描いたポリティカル・サスペンスとしての色彩が濃い。ふたりの主人公の設定からも明らかだが、マス・メディアと軍事による社会統制に力点を置いた映画であり、パンデミックを描いたものではない。ただし「目に見えない脅威への不安」や「異質な他者への恐怖」に対応する社会に着目すれば、『ブルークリスマス』と現代日本とのあいだには、幾つかの共通点を見いだすことができる。

青い血液の人間は、映画内の現在時（一九七八年）で、世界に二一万人。推計では、翌年には六三二三万人、八〇年には一億八〇〇〇万に増えるという。世界の政治エリートたちは、青い血の排除に乗り出す。秘密の医療機関が青い血の人間を集めて生体実験を行っているらしい。また、世間の注目を集める青い血の人間が、次々と不審な死をとげる。

そもそも、青い血の人間がなぜ迫害されるのか、血の色が変わるとどうなるのか、という根本的な問題が映画のなかでは明らかにされない。青い血の人間といっても、見た目は、赤い血の人間と何ら変わることがないため、主要登場人物も観客も、青い血が排除されるほんとうの理由がわからない。釈然としない思いを抱えたままに、気がつけば情報統制が敷かれ、社会に不穏な空気が流れる。

排除される青い血の人びとの対応はそれぞれ異なる。自分が青い血であることを隠して生きる者もいれば、レジスタンス活動を模索する者もいる。青い血の弾圧に反対のデモを行う赤い血の人間も多数いる。そして、最終的には、日本国内で青い血の殲滅作戦が実施され、軍隊が出動するに至る。

脚本を書いた倉本聰（一九三四〜）の意図が明確に出ている場面がある。ナチスによるユダヤ人迫害の記録映像がテレビに映し出される場面だ。特定の集団を人種化して異質性を強調し、社会から文字通り抹殺しようとしたナチスと、映画のなかの世界とを重ねようという意図は、非常にわかりやすい。倉本は、異質な存在を抹殺する日本社会がひたすら内向きになる事態を示しつつ、そこにはいつも何らかの政治的思惑が動いているという自身の理解を、脚本のなかで展開している。倉本のこだわりは強く、岡本喜八に脚本通りに撮ってくれという要望を出したという。青い血という目には見えない異質性に社会はいかに対応するのか。映画は前半では報道記者のサスペンス、後半では赤い血の男性と青い血の女性との悲劇の恋愛を通して、その問題を追及している。

当時の評価をみてみよう。

まず、倉本の脚本が『キネマ旬報』一九七七年下旬号に掲載される。脚本には「未定稿」だと明記されていたが、映画化されることは決まっていた。映画評論家の川本三郎・石上三登志らによる座談会も併せて掲載され、注目の高さがうかがえる。しかし、完成した映画の評価は決して高くはなかった。

『読売新聞』の記事は、「政治的謀略の恐怖を描くのならなにも青い血を持ち出すことはない」とし、青い血が「異常とか不気味とかいう以前に、大変こっけいに見える」と否定的だった。[1] もっとも肯定的な評価がないわけではない。田中小実昌は「ちゃんとした映画」と述べたうえで、「ただ、ちゃんとした映画は、なさけないことに、ニホンでは観客があまりはいらない場合がおおい。この映画が興行的にもいい成績であることを、せつに願いたい」とした。[2] 田中の言葉には具体的な評価はないが、肯定的に評価していたことがわかる。

同時代評の少なさを考慮すれば『ブルークリスマス』は成功作だとは言えないのかもしれない。配給収入は一億三〇〇〇万円で、同年のトップ『野性の証明』の二一億五〇〇〇万円に比べると見劣りしてしまう。それでもなお、現代の起点として一九七〇年代の日本社会を考察するうえではきわめて重要な映画である。

1―「映画評「ブルー・クリスマス」〝青い血〟発想に無理」(『読売新聞』夕刊、一九七八年一一月一八日)五頁。

2―田中小実昌「シナリオ・ライターのこと」(『コミマサ・ロードショー』晶文社、一九八〇年)一四六頁。

3 動かしがたい「国」

映画『ブルークリスマス』を、一九七〇年代後半の日本社会に置き直してみると、倉本聰と岡本喜八のねらいがより明瞭にみえてくる。

一九七〇年代後半の日本社会では、権力への対抗運動に関わる問題が浮上していた。契機となったのは以下のふたつの事件である。ロッキード事件と三里塚闘争だ。

第一に、ロッキード事件である。そもそも、政治・経済・軍事に関わる一部のエリートたちが、相互に連関しながら、民衆とは関わりの無いところで何らかの決定を下しているという理解の方法は、ミルズの『パワー・エリート』(原著は一九五六年刊)を待つまでもなく、民衆による世俗的な知としてある程度は定着していたと思われる。しかし、政治・経済・軍事エリートたちの密接な関係は、『ブルークリスマス』公開前後の日本において汚職事件として注目を集めていた。いわゆる「ロッキード事件」がそれである。

一九七六年七月、元首相の田中角栄らが、収賄・外国為替及び外国貿易管理法違反の疑いで相次いで逮捕された。全日空が導入する旅客機の選定にかかわり、アメリカのロッキード社による巨額の賄賂の存在が明るみに出たのである。逮捕後すぐに保釈金を支払った田中は、一九七六年一二月の衆議院総選挙に無所属で立候補する。結果は、約一六万票を獲得してのトップ当選だった。

なぜトップ当選が可能だったのか。政治学者の高畠通敏は、田中角栄が再選された構造の根本には戦後日本の利益誘導政治があると指摘した。外国企業から五億円もの大金を渡される田中角栄は、それだけの「実力者」であり、それゆえに自分たちの地域に利益をもたらしてくれる者として有権者に支持されたと高畠は述べる。[3]

第二に、三里塚闘争を確認する。

一九六六年、千葉県三里塚に成田空港を建設する計画が発表されると、地元農民らによる反対運動が起こった。社会党や共産党といった政党だけでなく、新左翼の学生たちも次第に関与を深め、運動は盛り上がっていった。

反対運動によって遅れていた建設計画だったが、一九七七年一月に福田赳夫首相が年内開港を目指すと表明する。これにより反対運動は激しさを増し、一九七八年三月二六日には、学生たちが空

3——高畠通敏「戦後民主主義の決算」伊東光晴ほか編『戦後思想の潮流——その虚像と実像』(新評論、一九七八年)。

港の管制室に突入、機器を破壊するという事件が起こる。

ここで問題にしたいのは、反対運動がどのように受け止められたのか、という点である。『朝日新聞』は社説のなかで「反対闘争に暴力化の傾向が強まっているのは、きわめて遺憾」とし「万全な警備計画」を求めている（『朝日新聞』一九七八年三月二七日）。また、国会では、七八年四月六日に「新東京国際空港問題に関する決議」が提出され、衆議院で全会一致で採択された。決議文は、「過激派集団の空港諸施設に対する破壊行動は、明らかに法治国家への挑戦であり、平和と民主主義の名において許し得ざる暴挙である」と述べていた。一九七二年のあさま山荘事件、一九七四年の反日武装戦線による三菱重工ビル爆破事件も念頭に置いて言えば、一九七〇年代半ばの日本社会は、反対運動による暴力を厳しく否定することで、反対運動の問題提起の内容までをも流し去ってしまう方法を確立したようにみえる。あるいは、諸個人の情動を政治的対抗運動へと文脈づける機会を封じ込める術を手中にしたかのようにみえる。

三里塚闘争は、少数者を犠牲にして突き進む「国益」や「既成事実」が、いかに覆しがたいかを示していた。再び高畠通敏の評価を参照すれば、高畠は、三里塚闘争に冷淡な社会について、多数派の利益のためには少数者や外部の人間が犠牲になることも辞さないという集団エゴイズムの存在を指摘している。[4]

確認したことを整理しておこう。一九七六年から七八年にかけて、田中角栄型の利益誘導政治が汚職事件を生んだことで政治不信が高まったが、当の田中角栄は選挙でトップ当選を果たした。これは、強い政治権力を手放したくないという選挙区の有権者たちの「集団エゴイズム」の表れだった。また、三里塚闘争から生じた暴力事件への決議文が示すように、反対運動の暴力が政治権力によって全否定されていた。

これらと同時期に制作・公開された『ブルークリスマス』は、一部の権力者による支配を許し、反対する少数者に対しては冷酷な日本社会を描いたという意味で、同時代の集団エゴイズムに関わる事象と同じ問題圏にあったと理解できる。それは、青い血を排除する集団について、その構成員や意図が具体的には描かれないという演出に顕著に表れている。

映画のなかでは、青い血の排除に暗躍する謎の結社の存在が、天本英世や岸田森らの登場によってほのめかされているが、彼らが具体的に何をしている人物なのかは描かれていない。にもかかわらず、彼らは明らかに青い血の排除に動いており、それによって翻弄されるのは末端の人間である。国営放送局に勤める「南」(仲代達矢)は「真実」へと至る過程で挫折し、フランス行きを受け入れ

4—高畠通敏「成田・戦後民主主義の終焉」(『エコノミスト』一九七八年六月二〇日号)。

て物語から退場する。また、国防庁特殊部隊員の「沖」（勝野洋）は、軍事的・警察的諜報活動を進めるなかで、青い血の女性（竹下景子）との恋愛という「秘密」を抱え込むようになる。このように、謎の結社の存在を描く（あるいは描かない）演出には、倉本の脚本に加えて、岡本の手腕がうまく発揮されている。

『ブルークリスマス』は、一見すると陰謀論的な物語に見えかねないが、主人公の報道記者と国防庁特殊部隊の隊員は、相談したり頼ったりする仲間や集団をほとんど持たず、いつもひとりで悩み、行動しているようにみえる。とりわけ、社命で追求を断念し、後半にはほとんど姿をみせない報道記者は、孤独な群衆の一員であり、集団エゴイズムを選ぶ「大人」として造形されていた。

本書の第四章で、『近頃なぜかチャールストン』と『大誘拐』を論じた野上元は、登場人物たちの戦いが「都市遊撃戦」や「メディア遊撃戦」としてしか成立しないことを指して、『お国』がもう動かしがたいものであることを示」していると分析した。本章の視点に立てば、野上の言う「お国」の「動かしがたさ」は一九七〇年代に固まった（より正確には固め直された）ものだと言える。

以上の要素を鑑みれば、『ブルークリスマス』の意義は、赤い血と青い血が雪の上で交わろうとする場面に代表されるような抒情的な絵づくりにあるというよりも、国家に集約される支配システムへの抵抗の様態を冷徹に描いた権力論にあると言えるだろう。

4　支配システムへの抵抗のあり方

では、支配システムへの抵抗の様態とは具体的にどのようなものか。それをたんに「抵抗の不可能性」などと呼ぶことはできない。それを考察するために、ふたりの主人公の設定とUFOに注目しよう。

この映画は、メディア（『ブルークリスマス』では国営放送）と軍隊（国防庁）が社会統制に重要な役割を果たすという認識を、ふたりの主人公の設定によって、明確に示している。同時に、青い血の元凶だとされるUFOについては何の説明もなく、青い血の人間の殲滅を図る集団は終始秘密に覆われている。

UFOや暗躍する「謎の集団」の「正体」はさほど重要ではない。実在するかどうかわからないUFOや「謎の集団」が事件の背後で動いているかもしれないと想像させれば、それで十分だからである。劇中では「ヒューマノイド」というロックバンドが乗る飛行機が事故で墜落したというニュースが流れるが、それも同じ機能がある。あるかないかわからないものを「ある」と感じるとき、人は恐怖を感じる。社会思想史家の酒井隆史の言葉を借りるなら、幽霊の例が端的に示すように、恐怖は非実体を実体化させる。[5] 恐怖によって実体化された脅威は、統治という実践に際限のない口実を与える。『ブルークリスマス』の青い血は、恐怖によって構築された「脅威」を体現するものであり、メディアと軍事はそうした脅威を作り続ける。ここで、「謎の集団」は、あたかも一望監視施設の監視塔のようである。構成員や意図などの内実は重要ではなく、ただ「謎の集団」がいると思わせればそれで十分なのだ。

これまで本書が論じてきたように、岡本喜八が描いた「抵抗」とは、敵対する組織を潰すのではなく、そこから「独立」する生き方を模索したり、「ええじゃないか」のように一時的であれ秩序を宙づりにして祝祭的時空間を作ったりするものだった。しかし、一九七〇年代以降の日本社会のなかに「独立」する余地はなく、消費者のエネルギーはあっても群衆のパワーを発揮する機会は失われつつあった。独立や抵抗の手がかりがもはや個人の内面や過去のなかにしか残されていない——そんな時代に描かれた『ブルークリスマス』の苦い結末は、現代まで続くセキュリティ社会を予見するものだったと言えよう。

そして、そこから一歩踏み込んで次のように述べたとしても、あながち牽強付会ではないだろう。つまり、岡本喜八の映画は、戊辰戦争まで遡る近代日本の戦争のみを描いたのではない。共同体の構成員の安全・安心のために情報統制を行い、さらにそれを可能にするための法整備と技術による監視体制を築いて内なる他者を殲滅するという〈戦争状態〉の現在性をも射程におさめていたのだ、と。

5―酒井隆史『完全版　自由論』（河出書房新社、二〇一九年）三七六頁。酒井は、ギー・ドゥ・ボール／木下誠訳『スペクタクルの社会』（平凡社、一九九三年）と『スペクタクルの社会についての注釈』（現代思潮新社、二〇〇〇年）に依拠して議論しているが、本章の記述はもっぱら酒井の議論に依った。

あとがき

山本昭宏

企画が動き出したのは二〇一八年四月だった。研究会後の懇親会が終わり、二次会へと流れた数名で、「あんなことといいな、できたらいいな」とこれからの仕事について話していた。それ自体はよくあることなのだが、その日は岡本喜八の戦争映画が話題に上った。普通ならば翌朝になれば忘れていることとなのだが、その日はなぜか物覚えがよく、帰りの新幹線で企画書を書いてみた。こうして研究会が動き出した。

「岡本喜八の映画」という枠組みがあるため、各自がそれぞれの関心を自由に深めても、論集を貫く問題意識が損なわれることはなかった。岡本喜八の映画に惹かれたメンバーだったからこそ、約二年で成果をまとめることができたのだろう。

執筆者は戦争とその記述や記憶に関わる文化史、歴史社会学を専門としており、映画史・映画論の専門家ではない。映画史・映画論にとっては当たり前のことを書いている箇所もあるだろうし、見落としもあるかもしれない。本書で扱うことができなかった論点も多い。内向きになる社会における排除と統合という問題や、天皇表象以外にも、たとえば、西部劇との比較などの映画史的論点、喜八プロ設立以後の製作体制を解明する映画産業史的論点、テレビへの進出や岡本の小説関係を考察するメディア史的論点などが挙げられる。また、これは戦中派が共通して抱える問題だろうが、その男性主義も、今後は分析の対象となるだろう。

しかしながら、本書だからこそ強調できた論点や視点もある。戦争・大衆文化・戦中派などの観点から岡本喜八作品を論じることで、「映画と戦争」の関係性を問い直すことが可能になったからである。戦争映画は、反戦的か好戦的かを腑分けする評価の視線にさらされ続けてきた。しかし、岡本は、そうした評価を相対化しつつ娯楽性を追求した先で戦争という巨大な出来事を捉えようとした。そこに、映画のなかで戦争を描くことに対する岡本なりの誠実さがあったと言えるだろう。「近頃なぜか岡本喜八」の「なぜ」の部分を、戦争との関わりで深めたのが本書である。本書が、岡本喜八ファンのみならず、戦後大衆文化における戦争に関心を持つ読者の手に届くことを願っている。

執筆過程では、たくさんの方に協力を仰いだ。最後になったが、記して感謝申し上げたい。

まず、岡本真実さん。真実さんのご協力なしには本書は成立しなかった。真実さんの運転で岡本喜八の墓参に行けたことは忘れられない思い出になった。また、向ヶ丘遊園の喜八プロでは、貴重な写真や直筆原稿などの資料を自由に調査させてくださった。

東宝株式会社の広瀬真さん、ＴＯＨＯマーケティング株式会社の伊藤みどりさんには、図版の件でお世話になった。会議室をお借りして、東宝が所有する岡本喜八の監督作品に関わる写真を閲覧できた。

みずき書林の岡田林太郎さんは、スタートからゴールまで本書に伴走してくださった。本文レイアウト・装釘は宗利淳一さん、組版は江尻智行さんに世話になった。中身については読者の判断を仰ぐしかないが、装釘・レイアウト・造本については自信を持っている。岡田さん、宗利さん、江尻さん、ありがとうございました。

執筆者プロフィール（50音順）

①現職／②生年・出身／③最終学歴／④専門分野／⑤主著・主論文／⑥好きな戦争映画（岡本喜八作品以外で）

佐藤彰宣（さとう・あきのぶ）

①東亜大学人間科学部講師／②1989年、兵庫県生まれ／③立命館大学大学院社会学研究科博士後期課程修了／④文化社会学・メディア史／⑤『スポーツ雑誌のメディア史――ベースボール・マガジン社と大衆教養主義』（勉誠出版、二〇一八年）、共著『「知覧」の誕生――特攻の記憶はいかに創られてきたのか』（柏書房、二〇一五年）、共著『趣味とジェンダー――〈手づくり〉と〈自作〉の近代』（青弓社、二〇一九年）／⑥前田陽一『喜劇あゝ軍歌』

塚田修一（つかだ・しゅういち）

①相模女子大学学芸学部講師／②1981年、東京都生まれ／③慶應義塾大学大学院社会学研究科博士課程単位取得退学／④メディア文化論・都市論／⑤共著『失われざる十年の記憶』（青弓社、二〇一二年）、共著『アイドル論の教科書』（青弓社、二〇一六年）、共編著『国道16号線スタディーズ』（青弓社、二〇一八年）／⑥大島渚『戦場のメリークリスマス』

野上　元（のがみ・げん）

①筑波大学人文社会系准教授／②１９７１年、東京都生まれ／③東京大学大学院人文社会系研究科博士課程修了／④歴史社会学／⑤『戦争体験の社会学――「兵士」という文体』（弘文堂、二〇〇六年）、共編著『戦争社会学の構想』（勉誠出版、二〇一三年）、『歴史と向きあう社会学』（ミネルヴァ書房、二〇一五年）、共著『自殺の歴史社会学――「意志」のゆくえ』（青弓社、二〇一六年）／⑥S・スピルバーグ『太陽の帝国』

福間良明（ふくま・よしあき）

①立命館大学産業社会学部教授／②１９６９年、熊本市生まれ／③京都大学大学院人間・環境学研究科博士課程修了／④歴史社会学・メディア史／⑤『「戦跡」の戦後史――せめぎあう遺構とモニュメント』（岩波現代全書、二〇一五年）、『「働く青年」と教養の戦後史――「人生雑誌」と読者のゆくえ』（筑摩選書、二〇一七年）、『「勤労青年」の教養文化史』（岩波新書、二〇二〇年）、『戦後日本、記憶の力学――「継承という断絶」と無難さの政治学』（作品社、二〇二〇年）／⑥深作欣二『軍旗はためく下に』

山本昭宏（やまもと・あきひろ）

①神戸市外国語大学准教授／②１９８４年、奈良県生まれ／③京都大学大学院文学研究科博士後期課程修了／④日本近現代文化史／⑤『核エネルギー言説の戦後史 １９４５～１９６０――「被爆の記憶」と「原子力の夢」』（人文書院、二〇一二年）、『核と日本人――ヒロシマ・ゴジラ・フクシマ』（中公新書、二〇一五年）、『大江健三郎とその時代――「戦後」に選ばれた小説家』（人文書院、二〇一九年）／⑥新藤兼人『原爆の子』

近頃なぜか岡本喜八
反戦の技法、娯楽の思想

2020年9月30日　初版発行

編者……山本昭宏
発行者……岡田林太郎
発行所……株式会社みずき書林

〒150-0012　東京都渋谷区広尾1-7-3-303
TEL：090-5317-9209　FAX：03-4586-7141
E-mail：rintarookada0313@gmail.com
https://www.mizukishorin.com/

印刷・製本……シナノ・パブリッシングプレス
組版……江尻智行
装釘……宗利淳一

978-4-909710-13-0 C0074

戦争映画の社会学

戦争社会学研究会　編

戦争社会学研究２

娯楽映画の抵抗と迎合――。市川崑と塚本晋也によって二度映画化された『野火』。同一作品は、表現形式によって、時代によっていかに変奏され、受容されるのか。同作を中心に『この世界の片隅に』『宇宙戦艦ヤマト』など、フィクションは戦争をどう描いてきたかを論じる。

Ａ５判並製・カバー装・縦組・３０４頁
定価：本体３２００円＋税

宗教からみる戦争

戦争社会学研究会　編

戦争社会学研究３

多くの宗教では殺生に対する戒律を有し、相互に殺害し合う事態を「悪」と捉えて、平和を好むと考えられてきた。しかし他方で、宗教や信仰者は「聖戦」「正戦」をとなえ戦う主体でもあった。信仰と暴力の関係に迫る。

Ａ５判並製・カバー装・縦組・２８０頁
定価：本体３０００円＋税